Piktogramme:

- hören
- malen
- in die Fibel sehen
- schreiben
- verbinden
- ins Heft schreiben
- Sticker kleben
- ankreuzen
- mit der Anlauttabelle arbeiten
- Silbenbögen schreiben
- umkreisen

Mo

Name: ______________________

Klasse: ______________________

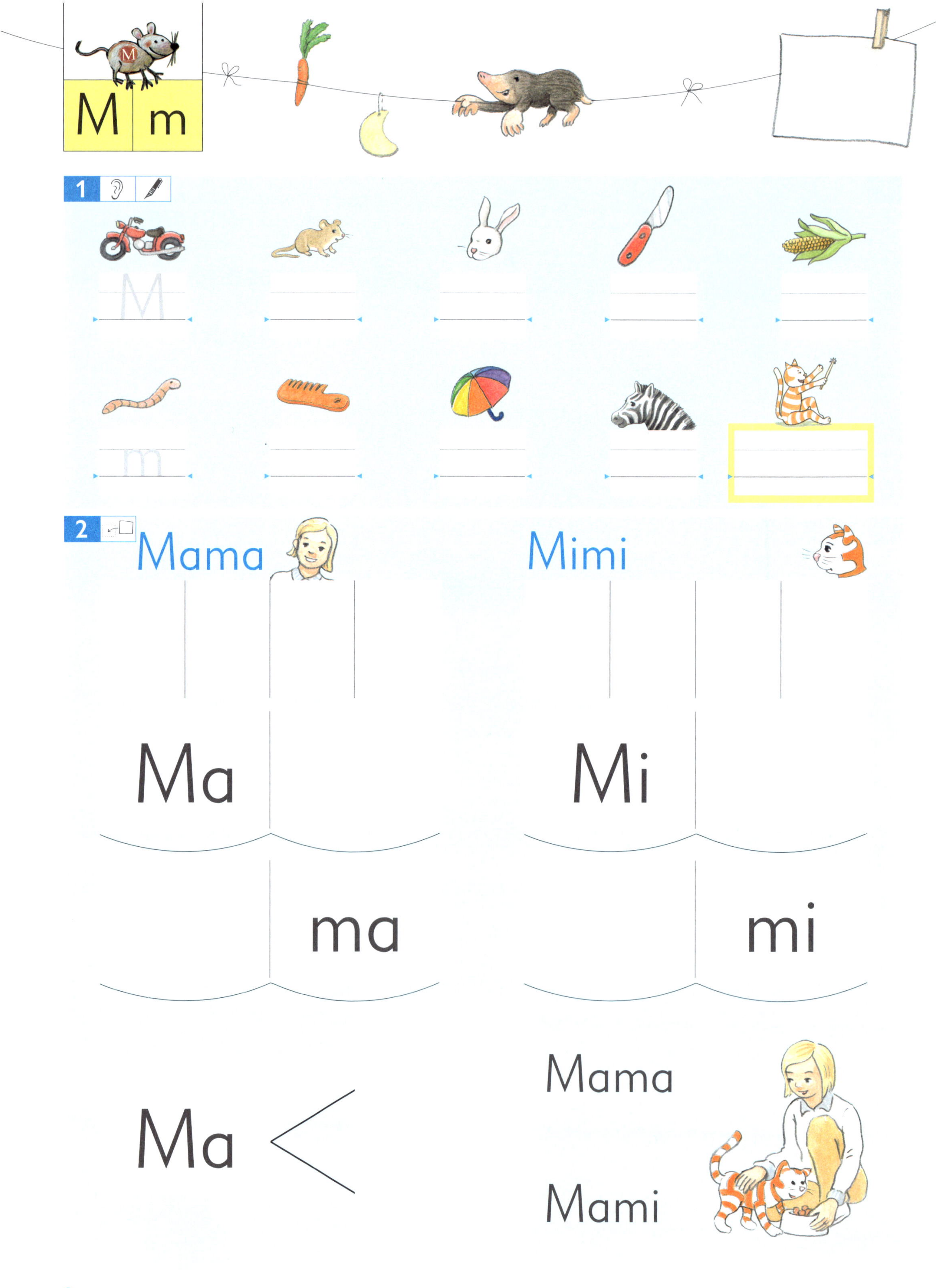

Zu den Fibelseiten 4, 5:

- Anlaut/Endlaut heraushören; M/m schreiben
- Mama/Mimi mit Stickerbuchstaben und -silben kleben

1

2

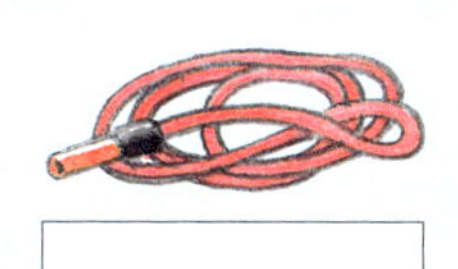

3

Zu den Fibelseiten 4, 5:

- Anlaut/Inlaut heraushören; I/i schreiben
- Silbenbögen eintragen
- Wörter aus Silben bilden und aufschreiben (Mami/Mimi)

Zu den Fibelseiten 6, 7:

- Anlaut/Inlaut heraushören; A/a schreiben
- Mia mit Stickerbuchstaben kleben; Stickerbilder den Namen zuordnen; Namen schreiben
- im/am richtig einsetzen

ist

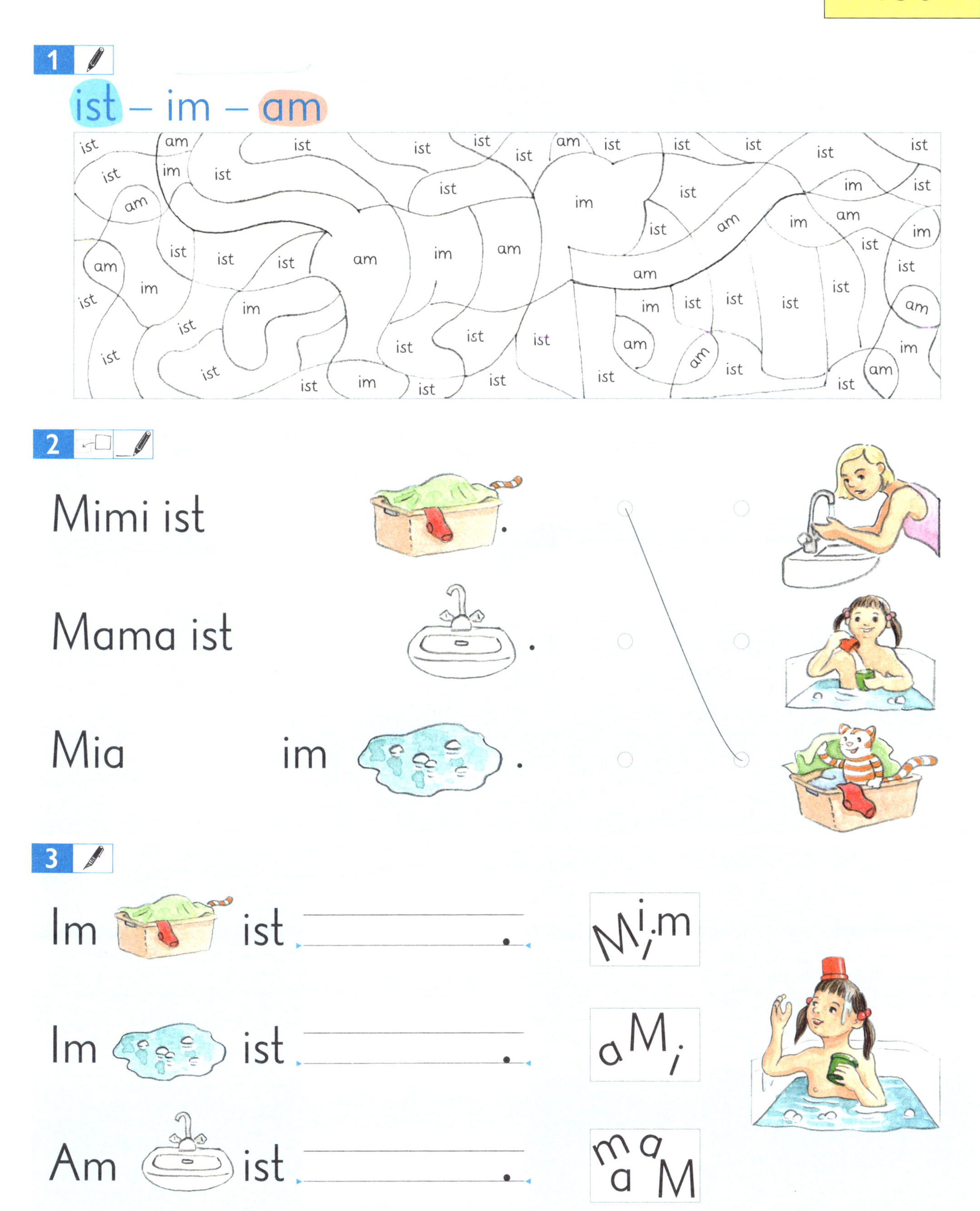

Zu den Fibelseiten 6, 7:

- „kleine" Wörter erkennen; Mosaikbild ausmalen
- Stickerwörter einkleben; Satz-Bild-Zuordnung ausführen
- Sätze schriftlich vollenden; Namen eintragen

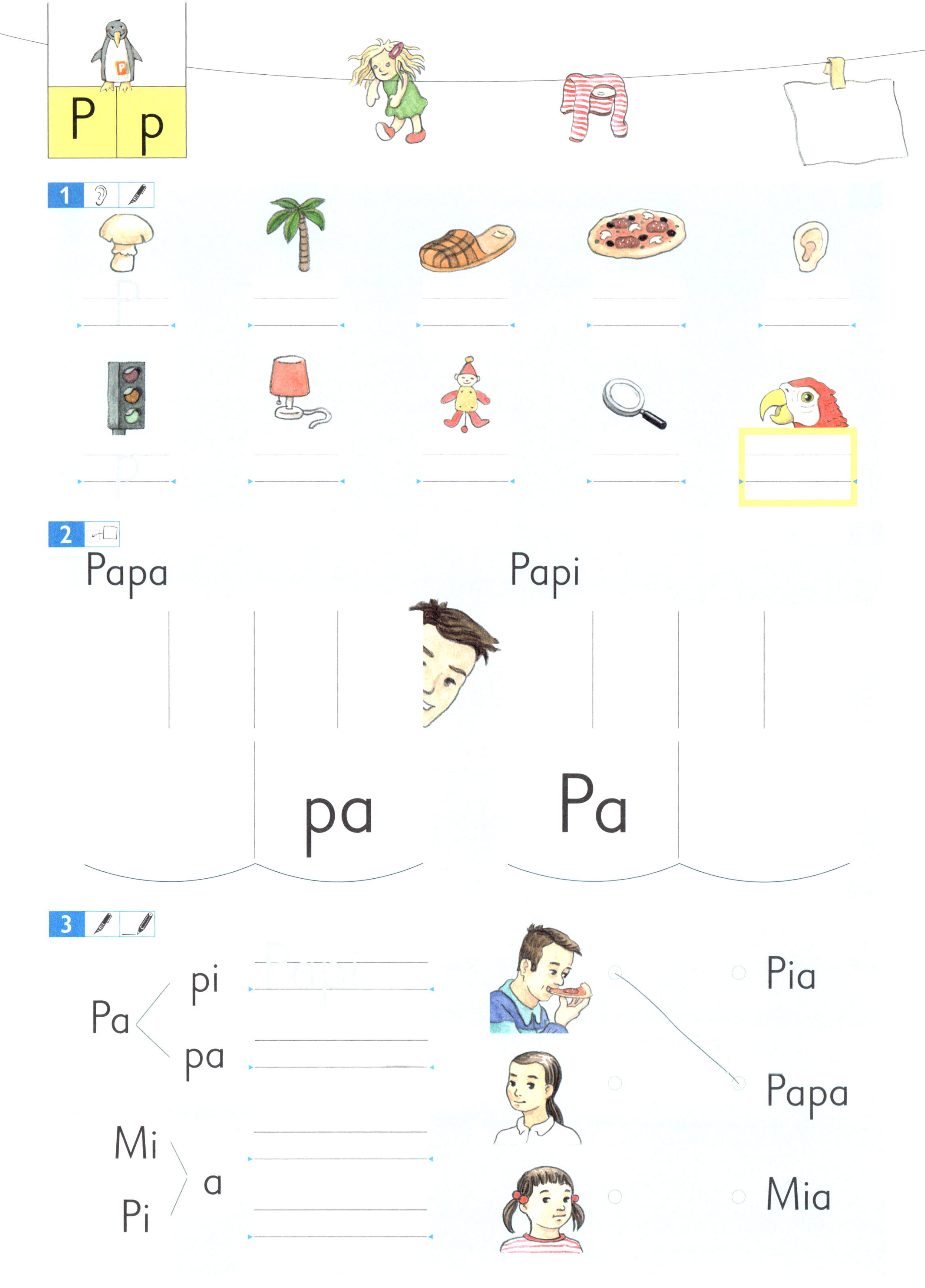

Zu den Fibelseiten 8, 9:

- Anlaut/Inlaut heraushören; P/p schreiben
- Papa/Papi mit Stickerbuchstaben und -silben kleben;
- Wörter aus Silben bilden und aufschreiben; Wort-Bild-Zuordnung ausführen

Zu den Fibelseiten 8, 9:

- Anlaut/Inlaut/Endlaut heraushören; O/o schreiben
- Namen mit Stickersilben und passende Stickerbilder kleben; Namen schreiben
- Sätze schriftlich vollenden; Wörter eintragen

ruft

Zu den Fibelseiten 10, 11:

- „kleine" Wörter erkennen; Mosaikbild richtig ausmalen
- Reimbilder verbinden
- Namen zur Bildergeschichte schriftlich einsetzen

Zu den Fibelseiten 10, 11:

- Silbenbögen eintragen
- Namen und kleine Wörter zur Bildergeschichte schriftlich einsetzen

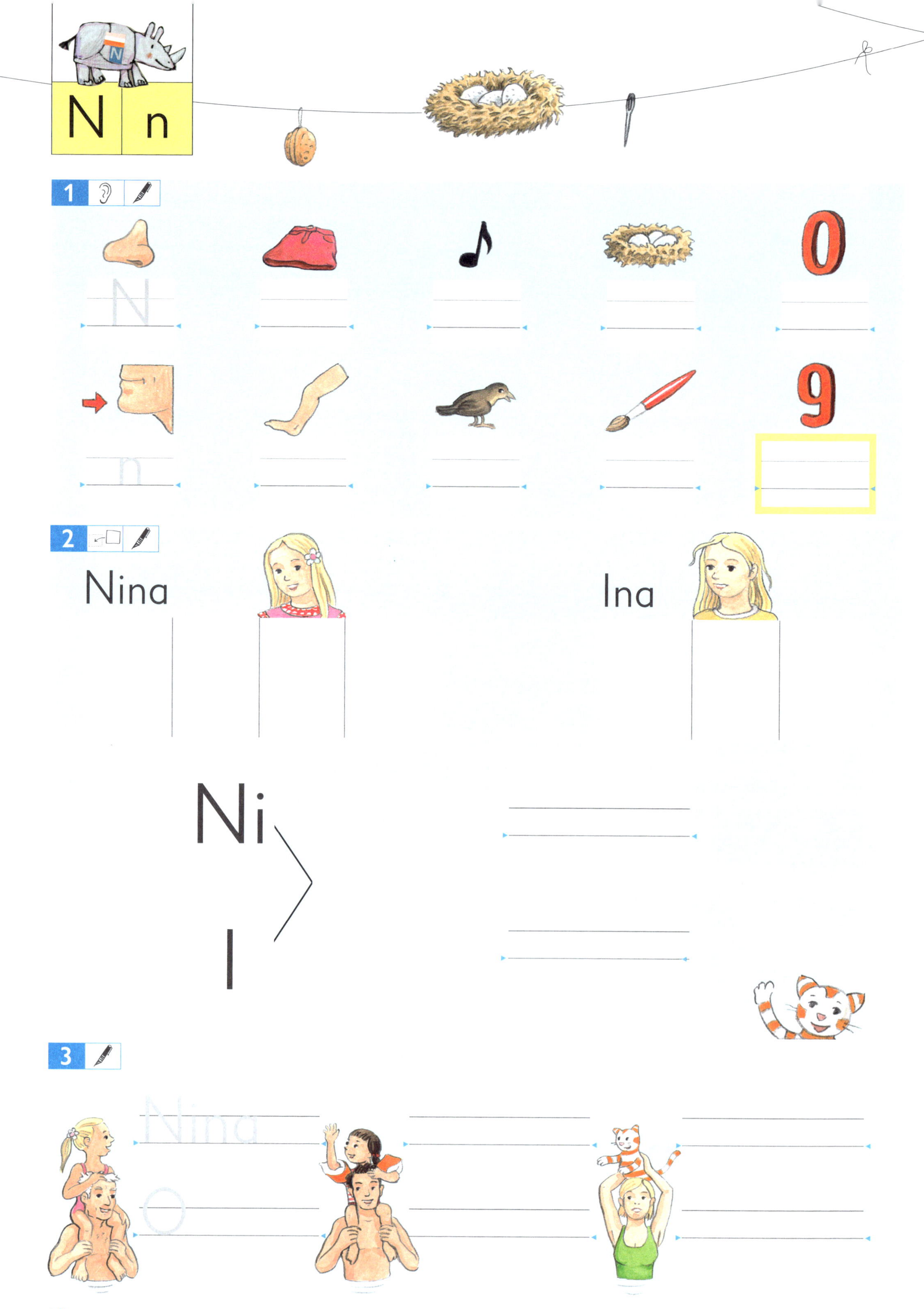

 Zu den Fibelseiten 12, 13:

- Anlaut/Inlaut/Endlaut heraushören; N/n schreiben
- Namen mit Stickerbuchstaben und -silbe kleben; Stickerbilder zuordnen; Namen schreiben
- Namen schreiben

und

sind

1

und (6 ×) – sind (4 ×)

2

und – ist – sind

Sind Oma und Mia am ?

Omi und Mia im .

Am sind Amon Mo.

Mimi im .

3

Mo ○	○ ist am .
Oma und Ina ○	○ sind am .
Mia und Mimi ○	○ sind am .
Amon und Nina ○	○ sind im .

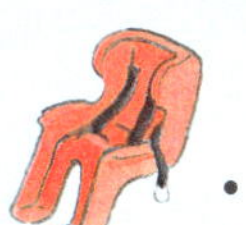

Zu den Fibelseiten 14, 15:

- „kleine" Wörter erkennen, umkreisen
- Stickerwörter in Sätze einkleben
- Satzstücke zu ganzen Sätzen verbinden

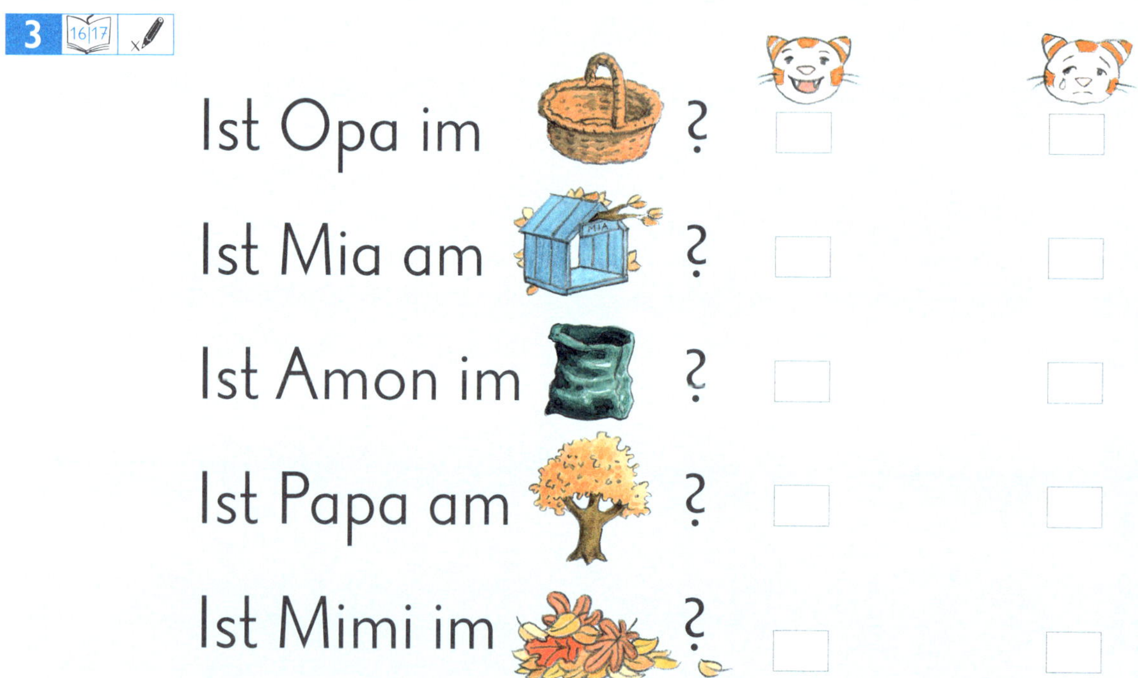

 Zu den Fibelseiten 16, 17:

- Anlaute/Inlaute/Endlaute heraushören; Bilder mit Buchstaben verbinden
- Buchstaben von Purzelwörtern sortieren und Wörter aufschreiben
- vgl. FS 16/17; Antworten ankreuzen

Zu den Fibelseiten 16, 17:

- Reimbilder verbinden
- Silbenbögen eintragen
- Anlautbilderschrift nutzen, Wörter schreiben

Zu den Fibelseiten 18, 19:

- Anlaut/Inlaut/Endlaut heraushören und T/t in den Platzhalter eintragen
- Stickersilben kleben, Namen schreiben
- Sätze abschreiben

Zu den Fibelseiten 18, 19:

- I/i als langen oder kurzen Vokal heraushören, schreiben und markieren
- i als langen oder kurzen Vokal im Wort heraushören und mit dem Bild verbinden
- Wörter nach i̲ und ị ordnen

3

Lina malt mit .

Tilo malt mit Lila.

 Zu den Fibelseiten 20, 21:

- Anlaut/Inlaut/Endlaut heraushören und L/l in den Platzhalter eintragen
- Satz mit Stickerbuchstaben kleben
- Sätze abschreiben

1

o – a

o – a

2

Malt Ina lila ?

Ina malt lila und .

Sind am ?

Am sind und .

3

Mimi malt

Mimi

Zu den Fibelseiten 20, 21:

- o und a als lange oder kurze Vokale heraushören, schreiben und markieren
- vgl. FS 20/21; Stickerwörter, -bilder in Satzlücken kleben
- Anlautbilderschrift nutzen, Sätze schreiben

 Zu den Fibelseiten 22, 23:

- Anlaut/Inlaut/Endlaut heraushören und U/u in den Platzhalter eintragen
- Stickersilben kleben und Namen schreiben
- eine kleine Geschichte zu Bildern schreiben

U – u – U̱ – ụ

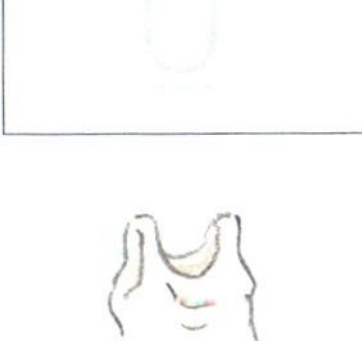

Mia und Opa sind am .

Muli ist am .

Mo ist am .

Tim ruft:

- Mimi! Mo!
- Lama! Lama!
- Uli! Muli!
- Ia! Ia!

Uli ruft:

- Nanu? Mo!
- Mia! Mia!
- Toll! Tim!
- Nanu? Mimi!

Zu den Fibelseiten 22, 23:
- U/u als langen oder kurzen Vokal heraushören, schreiben und markieren
- Stickerwörter und -bilder in Satzlücken kleben
- vgl. FS. 22/23; Antworten richtig verbinden; Antworten in leere Sprechblasen schreiben

1

2

Nele malt .

3

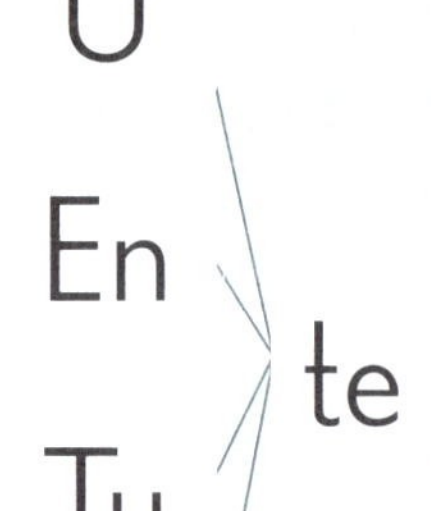
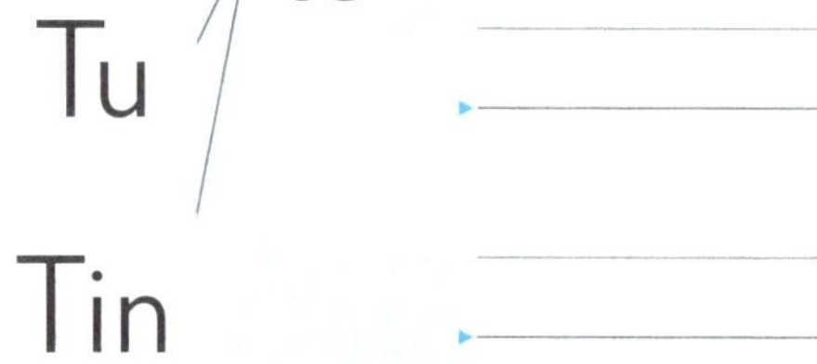

U
En
Tu
Tin
te

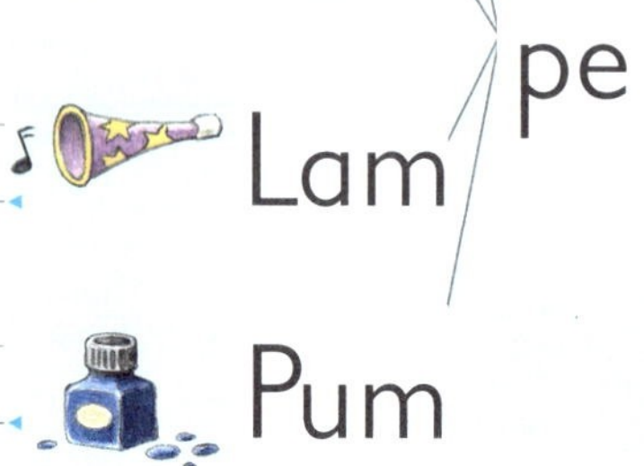

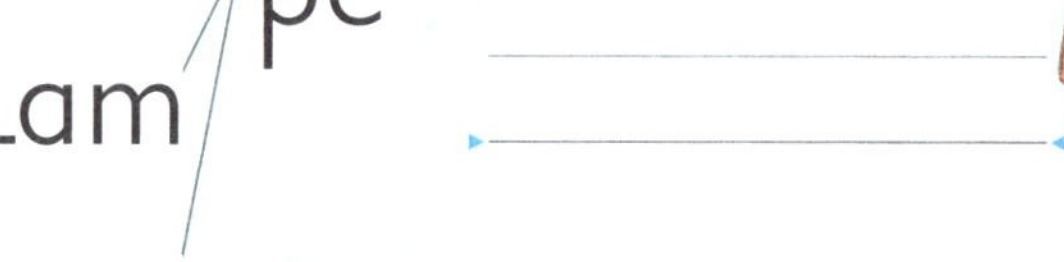

Tul
Lu
Lam
Pum
pe

Zu den Fibelseiten 24, 25:

- Anlaut/Inlaut/Endlaut heraushören und E/e in den Platzhalter eintragen
- Stickerbuchstaben kleben
- Silben zu Wörtern verbinden, Wörter schreiben

2

Alle malen.

Nele malt.

Alle Palmen.

Nele Tannen.

Alle Tomaten.

Nele Tulpen.

Tilo und Tim Mo.

Nele mit Emil.

Mia malt Mama an.

Mia malt Mama lila.

Nun malt Mia Palmen.

Ina und Nina malen mit.

Zu den Fibelseiten 24, 25:

- E/e als langen oder kurzen Vokal heraushören, schreiben und markieren
- Sticker „malen" und „malt" in Satzlücken kleben
- Text lesen, dazu malen

Male Mimi

1

2

Nele Lea Emil Leon

3

Malt Ina Tante Ute mit  ?

Malt Nina?

Malt Mimi mit Tinte?

Malen Lina und Tim?

 Zu den Fibelseiten 24, 25:

- verschiedene Anlaute heraushören und entsprechende Buchstaben schreiben
- Buchstaben von Purzelwörtern sortieren und Wörter aufschreiben
- vgl. FS 24/25, Antworten ankreuzen

No	Pu	Pal
ma	me	te

Lip	Tun	Tan
ne	nel	pen

2 Nele und Tilo malen.

und

Mimi ist am    .

ist

O Mimi ! Nele     .

Alle Tulpen sind     .

sind

Zu den Fibelseiten 24, 25:
- Silben zu Wörtern zusammenfügen, Wörter aufschreiben
- Sätze zu einer Bildergeschichte schreiben; Anlautbilderschrift dafür nutzen

 Zu den Fibelseiten 26/27:

- Anlaut/Inlaut/Endlaut heraushören und S/s in den Platzhalter eintragen
- Bild und Reimwort verbinden
- Lese- und Malauftrag ausführen

1

- [ ] Tante
- [x] Tinte

- [ ] Sofa
- [ ] Mofa

- [ ] Tulpe
- [ ] Tute

- [ ] Amsel
- [ ] Ampel

- [ ] Puppe
- [ ] Pappe

- [ ] Tante
- [ ] Tanne

2

malen – ~~lesen~~ – tippen – sollen essen

Ina und Amon … .

Ina und Amon lesen.

Tilo und Nele … .

und

Tim und Selina … .

und

Mias Puppen … .

Mimi und Mo tuten.

Zu den Fibelseiten 26/27:
- Wort zum Bild ankreuzen
- Sätze abschreiben und vollenden

 Zu den Fibelseiten 28, 29:

- Anlaut/Inlaut heraushören und R/r in den Platzhalter eintragen
- Verben aus Silben bilden und schreiben, Stickerbilder zuordnen
- Text lesen, gebeugte Verben schreiben

1

tip	tur	ra
nen	ten	pen

sol	tre	mur
meln	len	ten

tippen

2

Romi
Romi rollt.
Romi rollt mit.
Romi rollt mit Tim.

Romi rollt mit Tim rote Murmeln.
Romi rollt mit Tim rote Murmeln in Tor 1.

3

Selina

_______________ rennt.

_______________ mit.

_______________ Lina um zwei Tannen.

Zu den Fibelseiten 28, 29:
- Silben zu Verben zusammenfügen, Verben aufschreiben
- Text lesen, dazu malen
- Text ergänzen, dazu malen

1

o – u – a – e

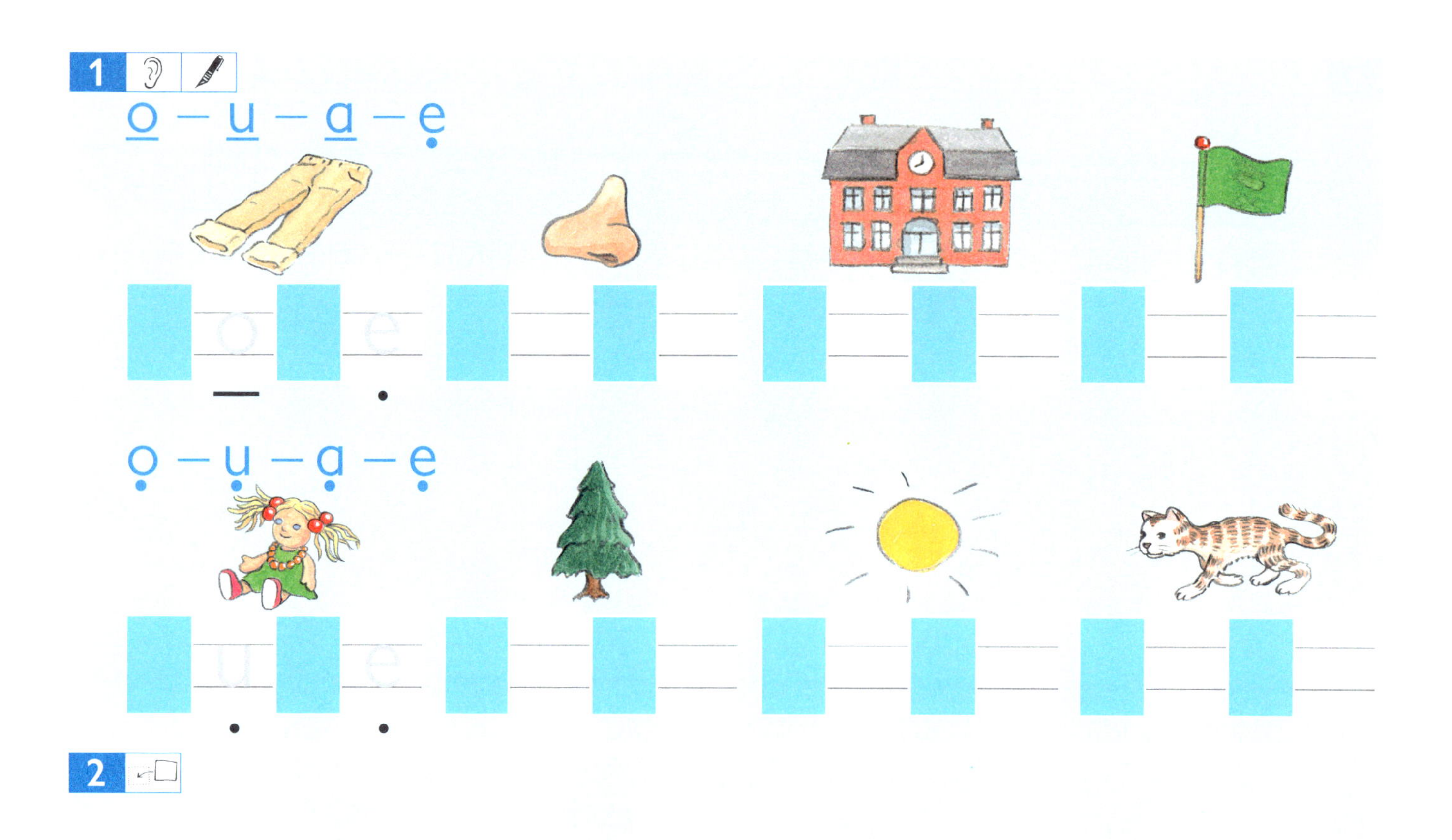

o – u – a – e

2

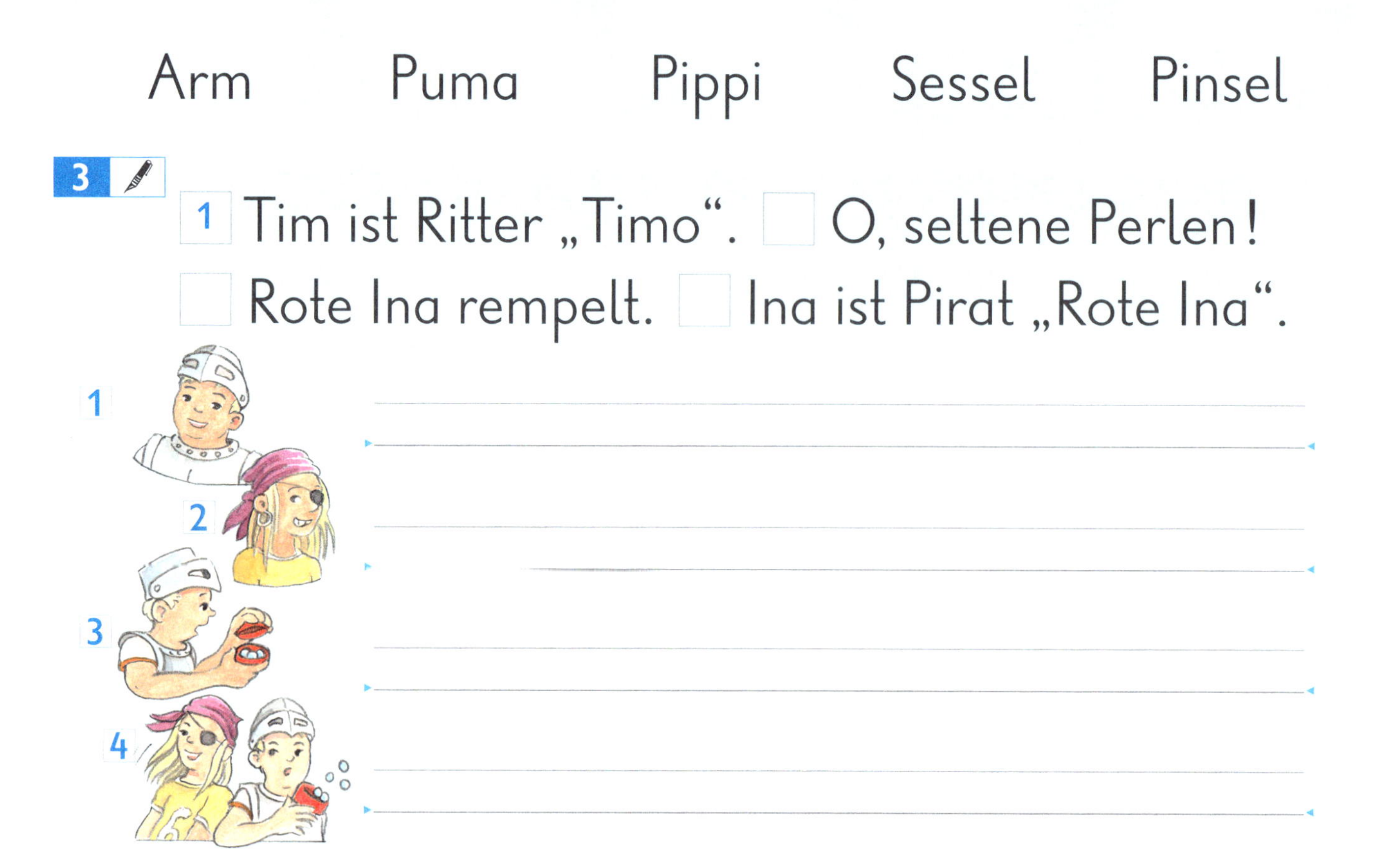

Arm Puma Pippi Sessel Pinsel

3

1 Tim ist Ritter „Timo“. ☐ O, seltene Perlen!

☐ Rote Ina rempelt. ☐ Ina ist Pirat „Rote Ina“.

1

2

3

4

Zu den Fibelseiten 28, 29:

- lange/kurze Vokale heraushören, aufschreiben und markieren
- Wörter lesen, Stickerbilder zuordnen und einkleben
- Sätze sortieren und abschreiben

1

Ro Ra Ru Re | Ro Ra Ru Re | Ro Ra Ru Re

Ro Ra Ru Re | Ro Ra Ru Re | Ro Ra Ru Re

2 28|29

	😊	☹
Alle rollen mit .		
Ina rollt mit Tilo.		
Tilo rollt und rollt.		
Lina soll es lernen.		

3

Alle rennen. Romi rennt mit.

Alle rollen. Romi ________ rote Perlen.

Alle turnen. Romi ________ mit Nina.

Alle lernen lesen. Romi ________ lesen.

Zu den Fibelseiten 28, 29:

- lange/kurze Vokale im Wort heraushören und mit dem Bild verbinden
- vgl. FS 28/29; Antworten ankreuzen
- Sätze lesen, gebeugte Verben schreiben

Ei ei

1

2

Nina, Ina und Mia essen rotes Eis.		
Mia ruft: Mein Eis! Mein Eis!		
Mama ruft: Na, Mia? Ein Ei?		
Nina und Ina teilen mit Mia.		

3

Alle essen einen Teller Reis.

Nun essen alle ein Eis.

Romi teilt eine Melone.

Alle essen Salat mit Ei.

Zu den Fibelseiten 30, 31:

- Anlaut/Inlaut heraushören und Ei/ei in den Platzhalter eintragen
- vgl. FS 30/31; Antworten ankreuzen
- Sätze nummerieren, Bild ausmalen

1

Meise	Reise Salat	Preis	leise Reis	Leiter	Rose Reiter
Teil	Seil Palme	Seite	Note pleite	Reim	Plan Leim

2

◯n S◯l — ein Seil

m◯n ◯mer

◯ne L◯ter

m◯ne M◯se

3

ein — Eimer, Eis, Puppe, Esel

ein Eis

eine — Ente, Tomate, Salat, Melone

Zu den Fibelseiten 30, 31:

- Reimwörter verbinden
- „ei" in Wortlücken einsetzen, Wörter aufschreiben, Stickerbilder zuordnen und einkleben
- Substantive nach unbestimmtem Artikel ordnen und schreiben, dazu malen

 Zu den Fibelseiten 32/33:

- Anlaut/Inlaut heraushören und H/h in den Platzhalter eintragen
- Wörter zu Sätzen sortieren, nummerieren, Sätze aufschreiben
- Freies Schreiben mit der Anlauttabelle

1

Ha

Ho

Hu

Ha

Hi

Hu

2

Malen und tasten

Amon holt  und malt.
Selina soll nun tasten.
Selina tastet ein H und ein a,
ein s und ein e.

Selina ruft: Es ist ein ____________!

3

Mia • rote
Hupe • Roller

ein alter Mann •
hinfallen • hupen

Zu den Fibelseiten 32/33:
- lange/kurze Vokale im Wort heraushören und mit dem Bild verbinden
- Text lesen, Rätsel lösen, Antwort schreiben
- zu einer Bildergeschichte Sätze schreiben, dafür Hilfswörter nutzen

 Zu den Fibelseiten 34/35:

- Anlaut/Inlaut/Endlaut heraushören und D/d in den Platzhalter eintragen
- Reimwörter schreiben
- Domino durch Malen und Schreiben ergänzen

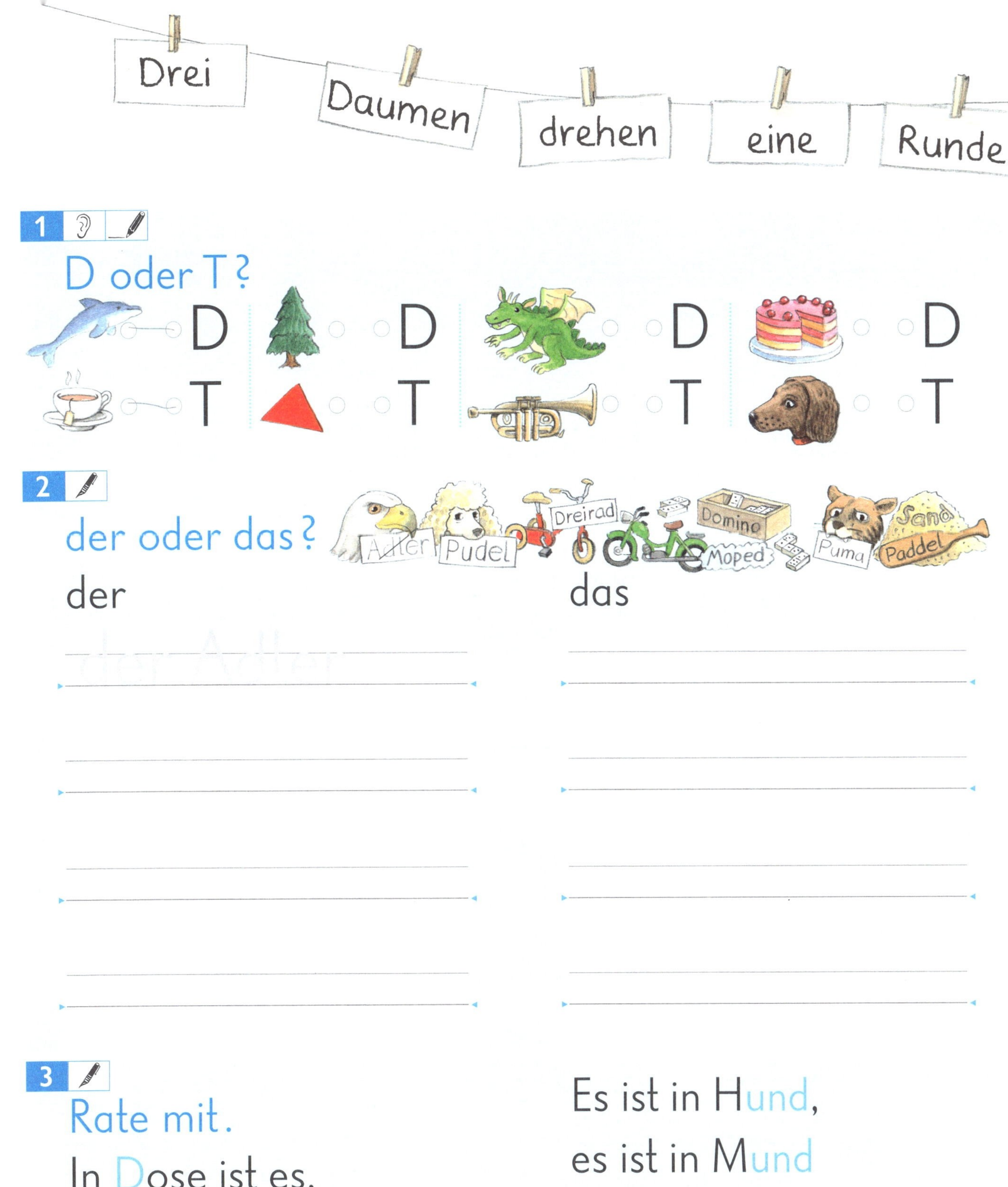

1

D oder T?

D D D D
T T T T

2

der oder das?

der | das

3

Rate mit.

In Dose ist es,
eine Dame hat es.
Es ist in Dreirad, in Dino,
in Dana und in Domino.

Es ist das ______.

Es ist in Hund,
es ist in Mund
und in Runde.
Es ist mitten in
Mama und Papa.

Es ist das ______.

Zu den Fibelseiten 34/35:

- ähnliche Anlaute heraushören, Bilder mit den richtigen Buchstaben verbinden
- Substantive nach bestimmten Artikel ordnen und schreiben
- Rätsel raten, Lösungen schreiben

W w

1

W

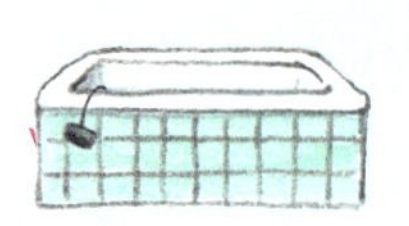

2

Male ein Meer
mit Wellen.
Male einen Wal im Meer.
Im Meer ist eine Insel
mit Palme.

3

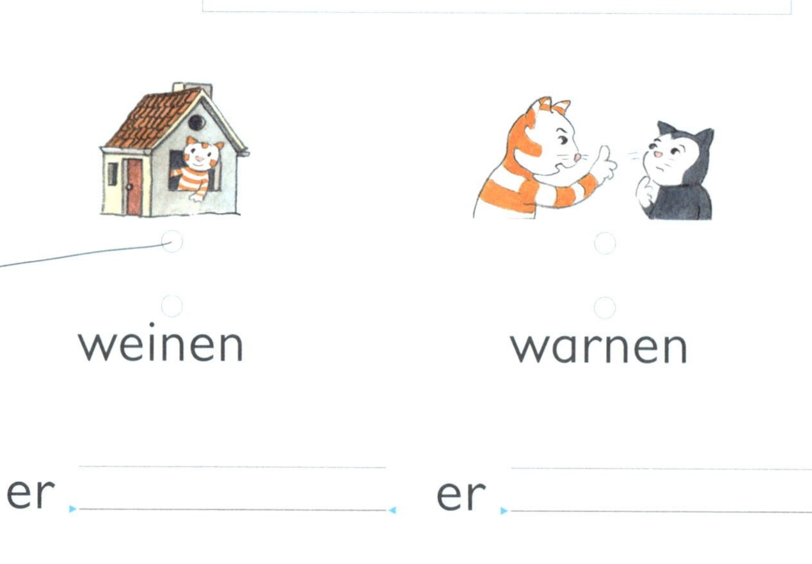

wohnen weinen warnen

er ______t er ______ er ______

wir ______en wir ______ wir ______

 Zu den Fibelseiten 36/37:

- Anlaut/Inlaut heraushören und W/w in den Platzhalter eintragen
- Text lesen, dazu malen
- gebeugte Verben aufschreiben, mit passendem Bild verbinden

1

Wer ist was?

Selina ist ein ______________ .

______________ ist ein [Bär] .

______________ ist ein [Clown] .

2

Wer ist mit wem da?

Ina ist ○	○ mit Nele da.
Waldi ist ○	○ mit Wanda da.
Der Hase ist ○	○ mit dem Indianer da.
Tim ist ○	○ mit einer Dame da.

3 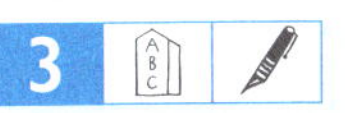

Wir tollen herum.
Alle sehen anders aus.
Nur Romi ist als Romi da. Nanu?

____

____

Zu den Fibelseiten 38/39:
- vgl. FS 38/39; Sätze richtig vollenden, Bild ausmalen
- vgl. FS 38/39; Satzstücke richtig verbinden
- Freies Schreiben mit der Anlauttabelle

ie

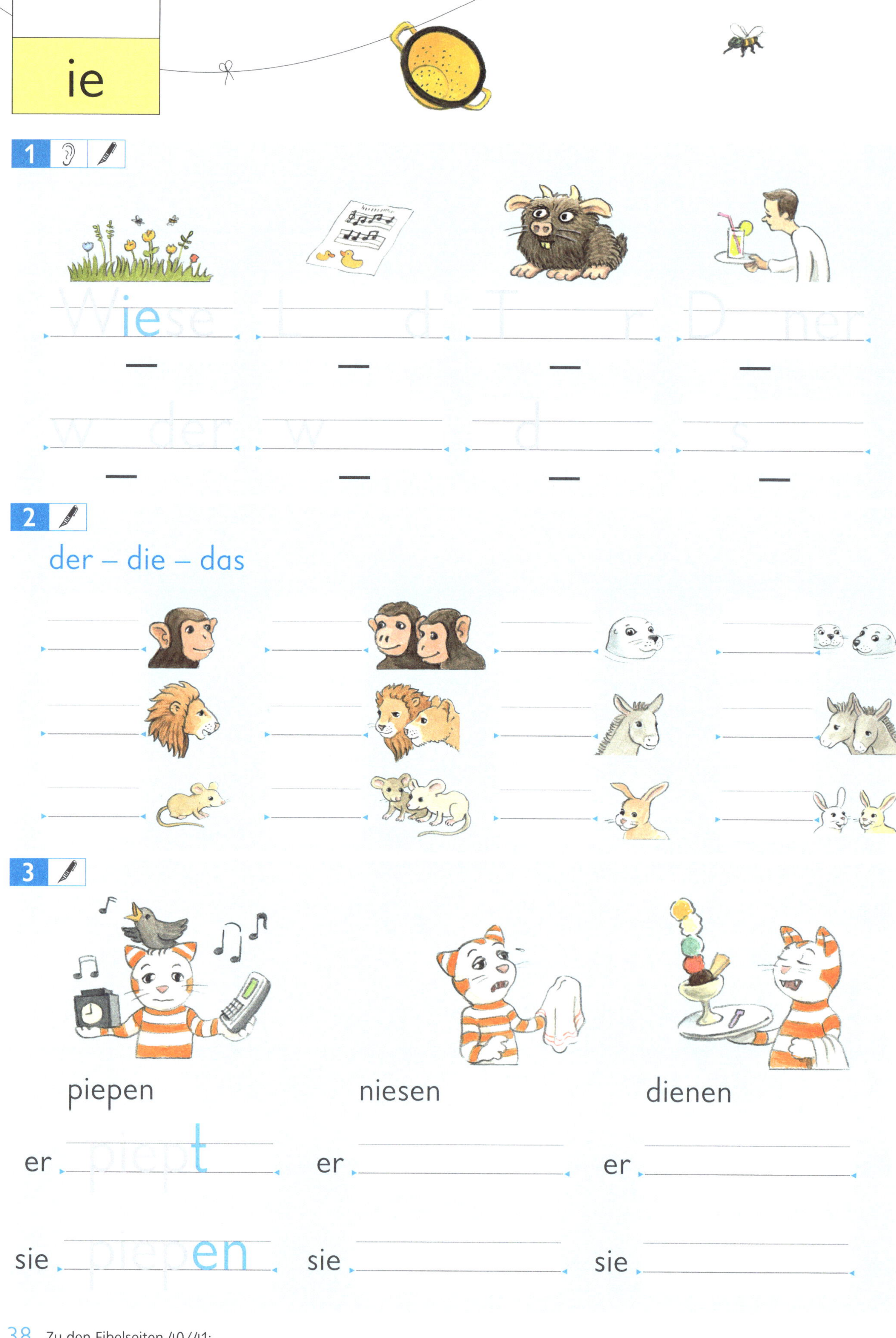

 Zu den Fibelseiten 40/41:

- langes i heraushören, „ie" in die Wortlücken eintragen
- bestimmte Artikel zuordnen und schreiben
- gebeugte Verben schreiben

Zu den Fibelseiten 42/43:

- Anlaut/Inlaut/Endlaut heraushören und F/f in den Platzhalter eintragen
- Silben zu Verben verbinden, Verben schreiben
- Satzstücke zu Sätzen verbinden, Sätze schreiben

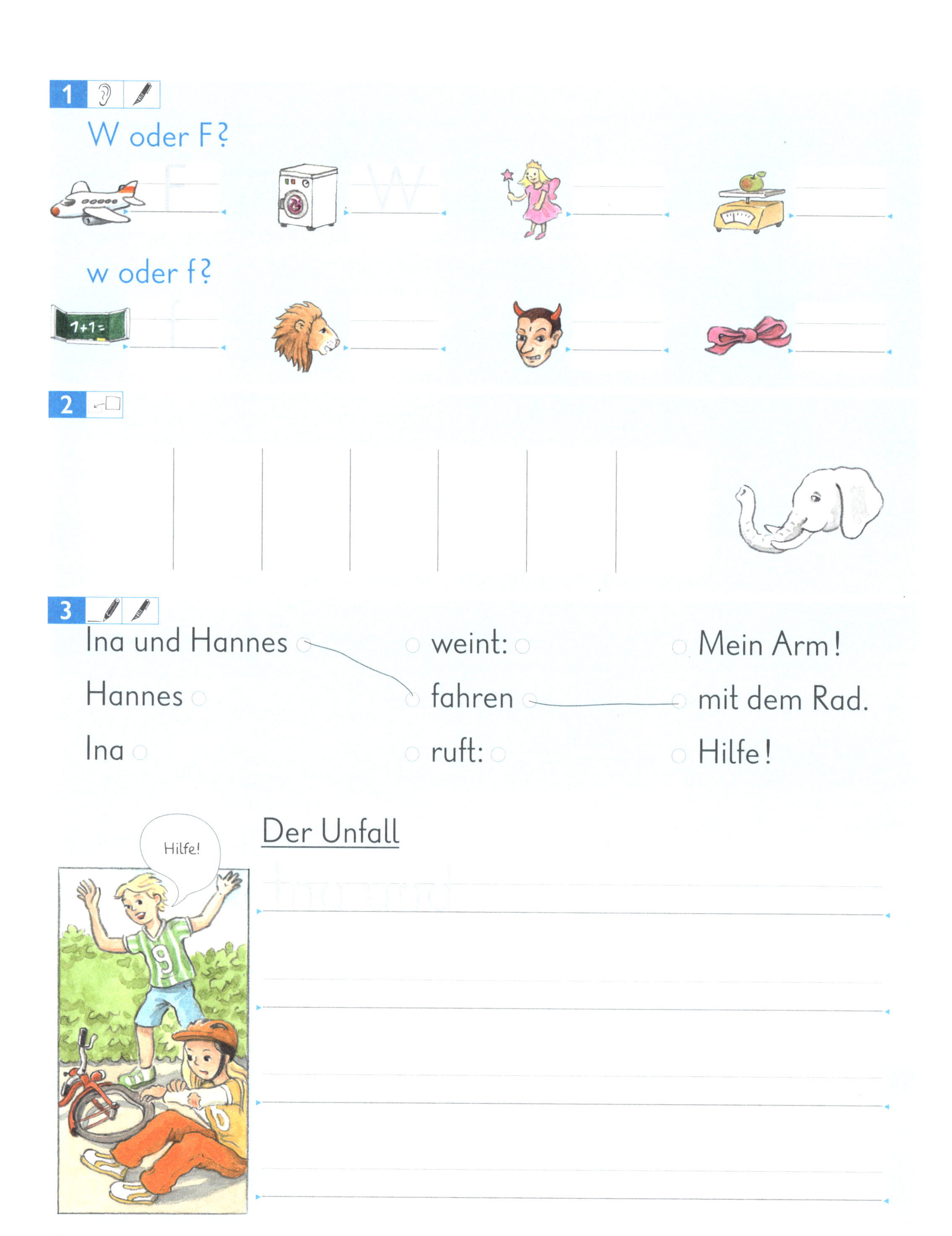

 Zu den Fibelseiten 42/43:

- ähnliche Anlaute/Inlaute heraushören; richtigen Buchstaben zum Bild eintragen
- Stickerbuchstaben kleben (Elefant)
- Satzstücke verbinden, Sätze schreiben

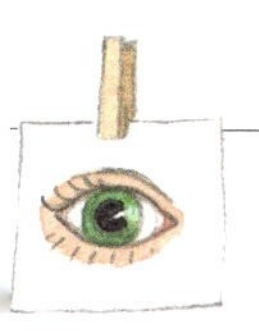

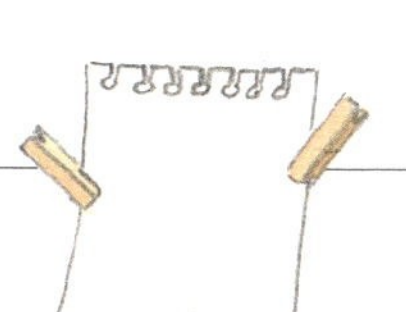

Au au

1

Au

2

aus-

aussaufen

auf-

aufpassen

ruhen

fressen

3

das

die

das

das

Zu den Fibelseiten 44/45:

- Anlaut/Inlaut/Endlaut heraushören und Au/au in den Platzhalter eintragen
- Verben schreiben
- Anlautbilderschrift nutzen, Tiernamen schreiben

Zu den Fibelseiten 46/47:

- Anlaut/Inlaut heraushören und B/b in den Platzhalter eintragen
- vgl. FS 46/47; Satzende ankreuzen; Satz vollständig abschreiben
- Buchstaben von Purzelwörtern sortieren, Wörter schreiben und mit Bild verbinden

1

B oder P?

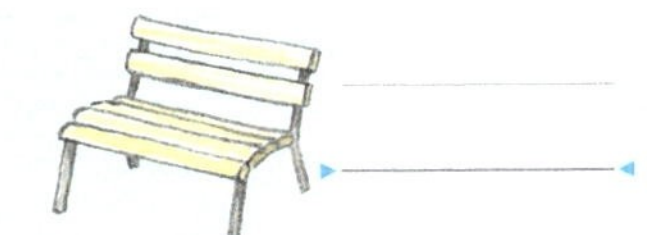

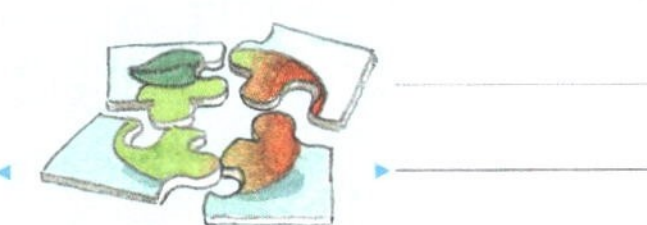

b oder p?

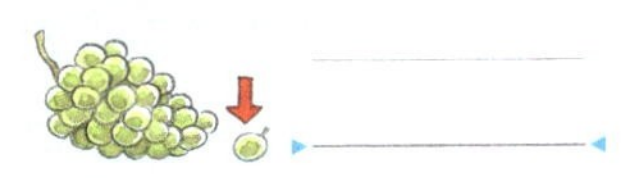

2

Reime.

haben	leben	loben
die ______	______	______
der Lappen	die Mappe	die Lippe
der ______	die ______	die ______

3

Male das Bild so aus:

Amon will Ninas Baumhaus sehen.

Er muss mit dem Bus fahren.

Da ist der Bus. Er ist rot.

Nina wartet auf Amon.

Nun ist er da.

Ninas Papa hat ein blaues Auto.

Papa ruft: „So, hinein ins Auto!“

Zu den Fibelseiten 46/47:

- ähnliche Anlaute, Inlaute heraushören, richtigen Buchstaben zum Bild eintragen
- Reimwörter aufschreiben, langen/kurzen Vokal markieren
- Text lesen, Bild entsprechend ausmalen

1

b oder d?

haben – sind – sauber – landen – Wald – bauen
bunt – lieben – Windel – Pudel – Ruder – heben

b haben

d

2

Ina und Nina sind in der Badewanne.

Ina hat einen blauen Lappen in der Hand.

Mia will mitbaden.

Was will Mia?

Was hat Ina in der Hand?

3

 Zu den Fibelseiten 46/47:

- optisch ähnliche Buchstaben differenzieren und Wörter nach b/d ordnen, schreiben
- Text lesen, Fragen dazu schriftlich beantworten
- Freies Schreiben zu einem Bild

1

Rate mal.

1. Es ist eine Farbe.
2. Nina und Ina sind in der Wanne und …
3. Damit redet man. Es ist der …
4. Laterne, Laterne, Sonne, …
5. Nina und Ina malen ein … .
6. Er ist rund und rollt. Man nimmt ihn zum Werfen.
   Er ist der … .

Lösungswort:

1	2	3	4	5	6

K k

1

2

Was sollen Nina und Ina kaufen?

☐ Brot • ☐ Eis • ☐ Kartoffeln • ☐ Kekse

☐ Eier • ☐ Mimis Futter • ☐ Salat • ☐ Tomaten

3

kom	ho	kau
len	fen	men

fin	war	ba
ten	den	den

wir kommen — wir finden

er kommt — er findet

wir — wir

er — er

wir — wir

er — er

Zu den Fibelseiten 48/49:

- Anlaut/Inlaut/Endlaut heraushören und K/k in die Platzhalter eintragen
- vgl. FS 48/49, Frage beantworten, Antwort ankreuzen
- Silben zu Verben verbinden, gebeugte Verben schreiben

Markiere K und k.

Kleine Kinder knabbern keine kleinen Kekse.

Krumme Kamele kommen mit kleinen Krokodilen ins Kino.

2

	der Raum	-	der Baum	 B
	der Wind	-		 K
	der Riese	-		W 
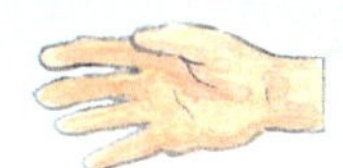	die Hand	-		 u
	der Name	-		s 
	der Hase	-		 o

3

Male das Bild bunt.

Lina hat einen kleinen Kater bekommen.

Sein Name ist: ______________________ .

Der Kater hat ein hellblaues Haus

Die Karos darauf sind rot und blau.

Die Kreise sind lila und rosa.

Da ist ein roter Ball.

Zu den Fibelseiten 48/49:

- Zungenbrecher lesen, sprechen, K/k markieren
- Buchstaben austauschen, neue Wörter aufschreiben
- Text lesen, Name in Lücke schreiben, Bild entsprechend ausmalen

Ch ch

1

ch wie in ich

mich

ch wie in ach

mich
manchmal
hoch
kochen
Milch
lachen

2

arm – reich

lieb –

tief –

unsicher –

3

So sehe ich aus:

Das kann ich:

1+2=

A

Zu den Fibelseiten 50/51:

- Wörter nach ch-Lauten ordnen und schreiben
- Gegensätze schreiben
- zur eigenen Person malen und schreiben

1

Reime.

tauchen | machen | die Sicht
f | l | das L
r | w | der W

2

Nummeriere.

1 Mama ruft: „Ich will einen Kuchen machen. Wer hilft mir?“

2 Ina holt die Milch, die Butter und das Mehl.

3 Nina rollt alles aus.

4 Mama lacht: „Der Ofen macht nun den Rest.“

3

Zu den Fibelseiten 50/51:

- Reimwörter schreiben
- Sätze den Bildern zuordnen und nummerieren
- Freies Schreiben zu einem Bild

1

Sch

2 52|53

Wer kommt aus Russland?

Schreibe die Idee von Hannes auf.

3

Schreibe in dein Heft:

Wie findest du Hannes Idee?

- alle lernen etwas!
- Sascha lernt die Kinder kennen
- Sascha lernt die Schrift
- die anderen lernen Russisch
- Sascha ist nicht mehr allein

Zu den Fibelseiten 52/53:

- Anlaut/Inlaut/Endlaut heraushören und Sch/sch in die Platzhalter eintragen
- vgl. FS 52/53, Fragen schriftlich beantworten
- eine eigene Meinung schriftlich formulieren

1

Male Ch und ch blau. Male Sch und sch braun.
Male S und s rot.

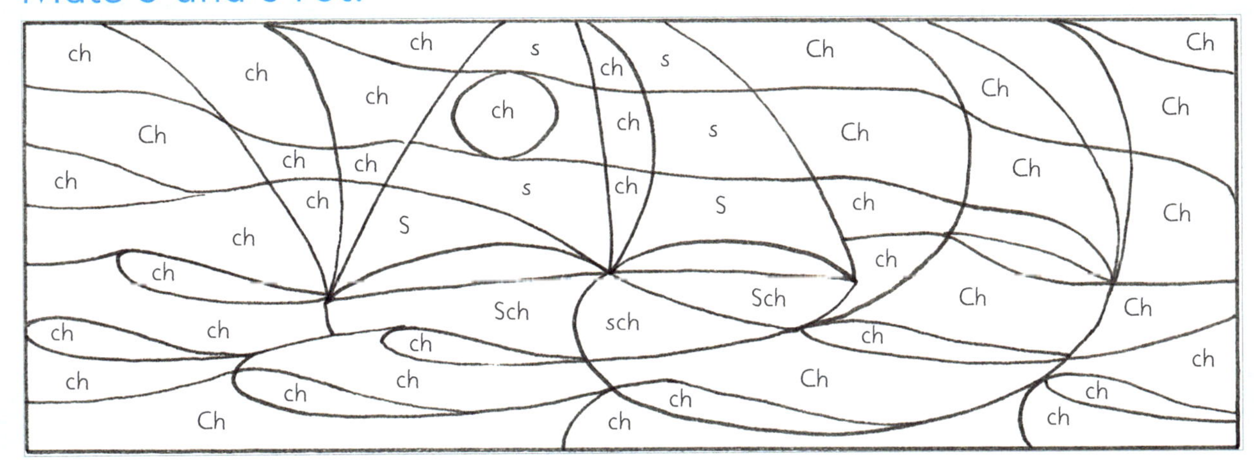

2

schla	schwim	schrei
men	ben	fen

schnei	lau	schau
schen	den	en

wir schlafen

wir

wir

wir

3

Was passt?

Sand ○	○ Boot
Sommer ○	○ Ferien
Schlauch ○	○ Kuchen

der Sandkuchen

die

das

Zu den Fibelseiten 52/53:
- Mosaikbild ausmalen
- Silben zu Verben verbinden, Verben aufschreiben
- zusammengesetzte Substantive bilden und aufschreiben

1

ch	Sch/sch
riechen	das Schaf
kr	der Schl
der Fluch	die Lasche
das T	die Fl
das B	die T

2

Was ist falsch?

Der Fisch schwimmt im Teich.

Ich wische die Tafel mit einer Schaufel.

Nina schreibt im Heft mit einer Schere.

Das Schwein suhlt sich im Schlamm.

Die Kirsche ist rot.

3

Was naschst du am liebsten?

Kuchen
Papier
Sahne
Schuhe
Schokolade
Sand
Kirschen

Zu den Fibelseiten 54/55:
- Reimwörter schreiben
- Sätze lesen, Antworten ankreuzen
- persönliche Frage schriftlich beantworten

Bald ist das Klassenfest. Alle wollen helfen.

Amon schreibt Karten.

Romi und Lina lernen ein Lied.

Selina und Tim laufen auf dem Seil.

Tilo bastelt einen Hut.

2

3

Schreibe etwas.

Zu den Fibelseiten 54/55:
- Satz-Bild verbinden
- Verben beugen und aufschreiben
- Freies Schreiben zu einem Bild

Ö ö

1

ö oder ö?

böse – die Flöte – die Kröte – die Öfen – die Höhle

die Löcher – der Löffel – die Körbe – die Hörner

die S hne – der L we – die T chter – die Br tchen

2

der Korb die Körbe — die Tochter die Töchter

der Sohn die — das Horn die

der Koch die — das Loch die

der Frosch die — der Hof die

3

ölen — die

flöten — das

föhnen — der

löffeln — den

trösten — den

schmökern — das

Zu den Fibelseiten 56/57:

- Ö/ö als langen oder kurzen Laut im Wort heraushören, in den Platzhalter eintragen und markieren
- Mehrzahl von Substantiven bilden
- Verb und passendes Substantiv verbinden, Substantiv schreiben

Ü ü

1

ü oder ü?

die Bücher – die Tücher – die Hüte – die Mühle

fünf – der Würfel – die Nüsse – die Bürste

der R   ssel – die T   te – die Sch   ssel – der M   ll

2

ein Küken		sie flüstern
eine Schüssel		sie üben
ein Schlüssel		sie fühlen
ein Rüssel		sie sind müde

3

der Hut – das Hütchen

die Nuss – das

die Puppe – das

der Hund – das

Das ist meins: das Hütchen,

Zu den Fibelseiten 56/57:

- Ü/ü als langen oder kurzen Laut im Wort heraushören, in den Platzhalter eintragen und markieren
- Wort-Bild verbinden
- Verkleinerungsformen zu Substantiven schreiben

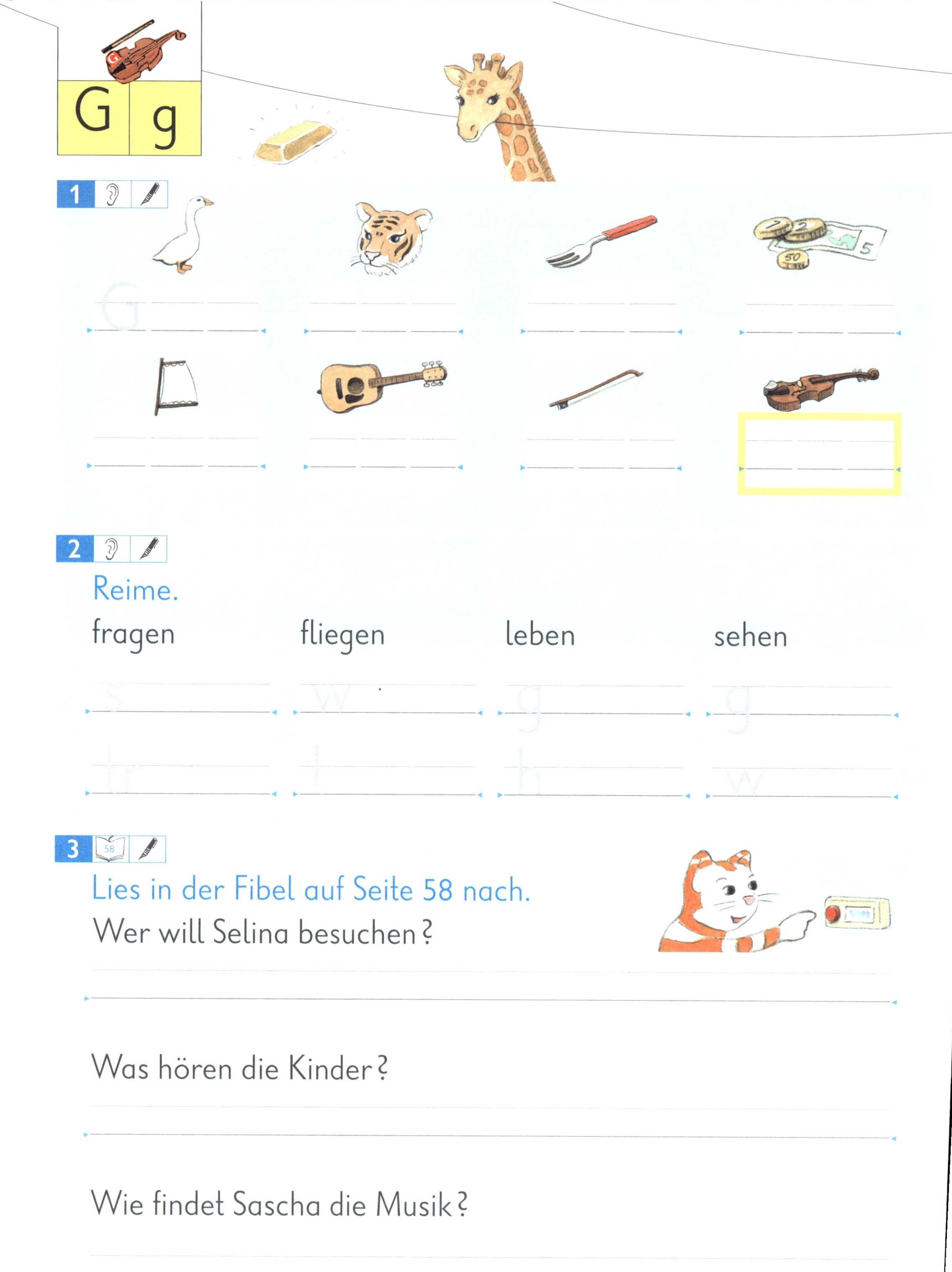

G g

1

2

Reime.

fragen fliegen leben sehen

3

Lies in der Fibel auf Seite 58 nach.

Wer will Selina besuchen?

Was hören die Kinder?

Wie findet Sascha die Musik?

Zu den Fibelseiten 58/59:

- Anlaut/Inlaut heraushören und G/g in den Platzhalter eintragen
- Reimwörter aufschreiben
- vgl. FS 58; Fragen schriftlich beantworten

1

G oder K?

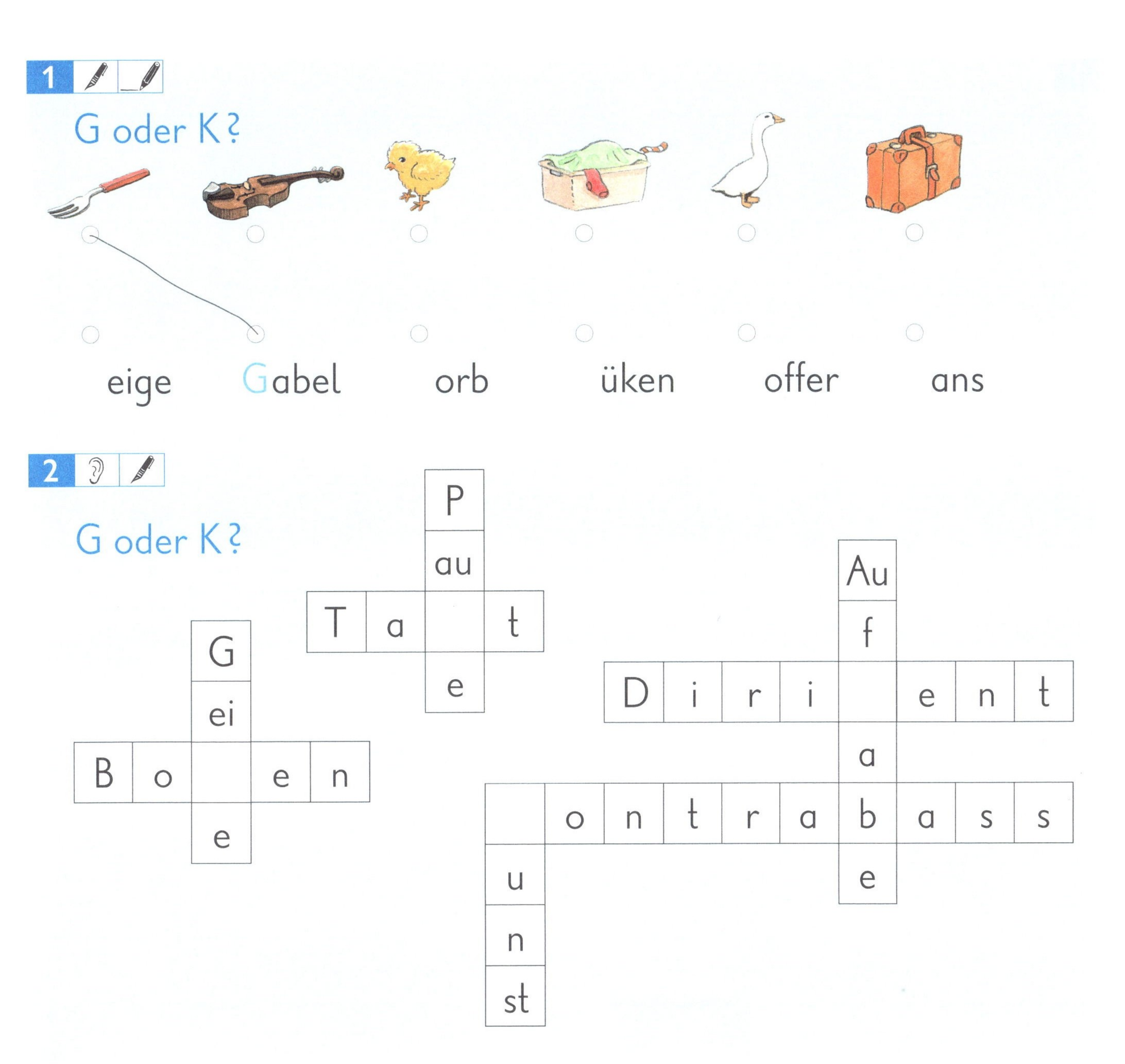

eige Gabel orb üken offer ans

2

G oder K?

P
au
T a _ t
e

G
ei
B o _ e n
e

Au
f
D i r i _ e n t
a
_ o n t r a b a s s
u
n
st
e

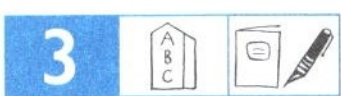

Selinas Bruder erinnert sich

Früher war ich gern bei Opa.

Dann durfte ich seine Geige halten.

Eines Tages hat Opa gesagt:

„Ich gebe sie dir nun ....“

Zu den Fibelseiten 58/59:

- ähnliche Anlaute heraushören, richtigen Buchstaben eintragen, Wort-Bild verbinden
- Wörter lesen, richtige Buchstaben einsetzen
- Freies Schreiben zum Anfang einer Geschichte

ß

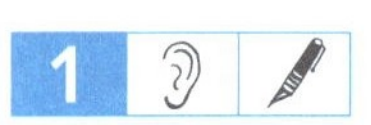

1

Überall s!

die ro a Schweine

die lei en Kinder

die ge unden Bananen

Überall ß!

die hei e Sonne

der gro e Bruder

die wei e Blume

2

Was passt? Lies in der Fibel auf Seite 59 nach.

Amon fragt: ○		○ „Das Hemd ist weiß!“
Lina sagt: ○		○ „Ist es die Kreide?“
Nina fragt: ○		○ „Dann ist es Tilos Nase!“
Tim sagt: ○		○ „Ist es die Wand?“

3

-e, -es, -er

groß

eine ______________ Tafel

ein ______________ Buch

ein ______________ Baum

heiß

eine ______________ Tasse

ein ______________ Glas

ein ______________ Teller

Zu den Fibelseiten 58/59:
- s und ß in die Platzhalter einsetzen, Wörter lesen
- vgl. FS 59, Sätze richtig verbinden
- Adjektive beugen und schreiben

1

v wie „f“

v wie „w“

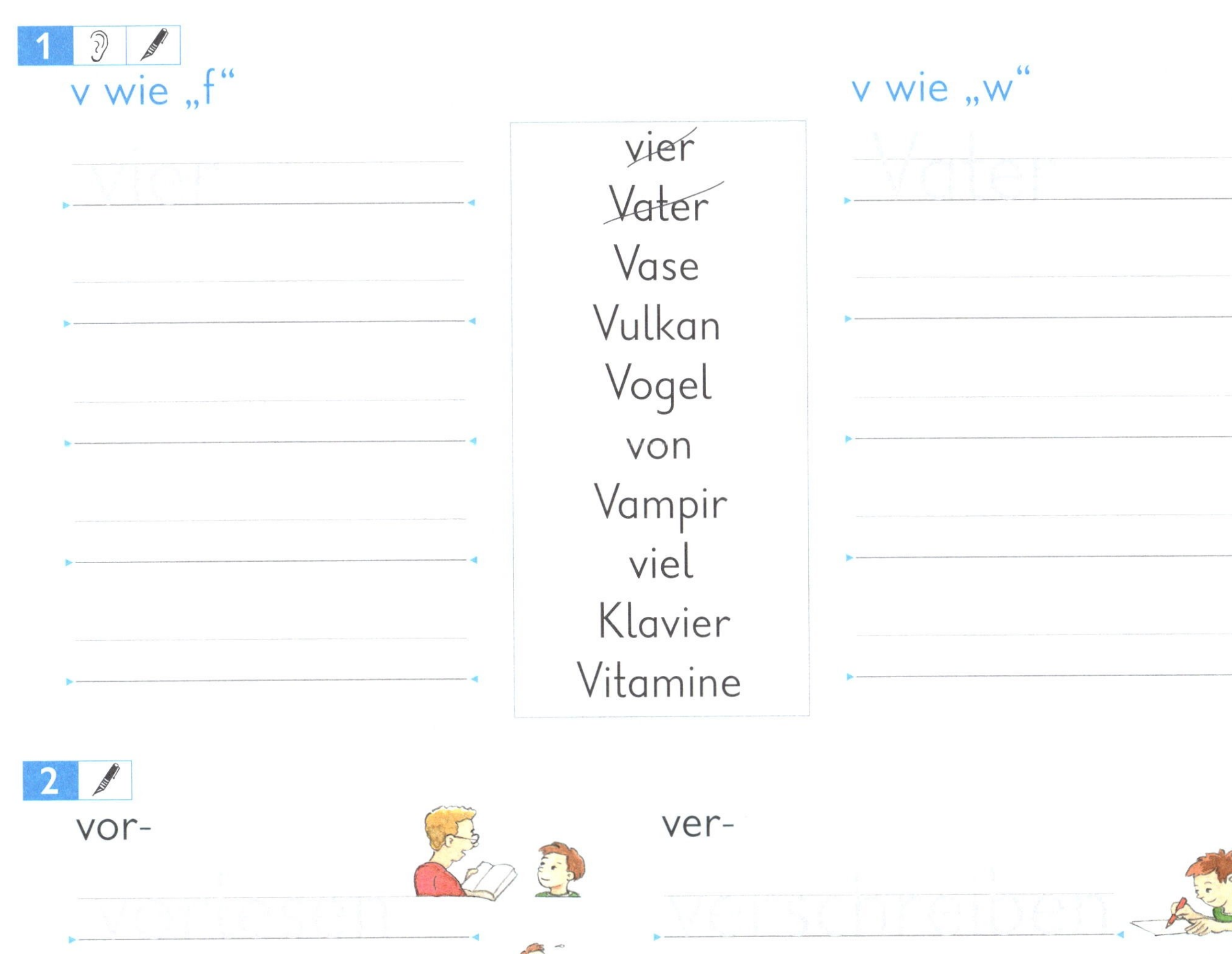

vier
Vater
Vase
Vulkan
Vogel
von
Vampir
viel
Klavier
Vitamine

2

vor-

ver-

3

Male alle Vogelwörter.

Vogelbauer – Vogelnest – Vogeleier

Vogelhaus – Vogelscheuche

Zu den Fibelseiten 60/61:
- Wörter nach v-Lauten ordnen und schreiben
- Verben mit „ver-“, „vor-“ schreiben
- Vogelwörter lesen, dazu malen

Eu eu

1

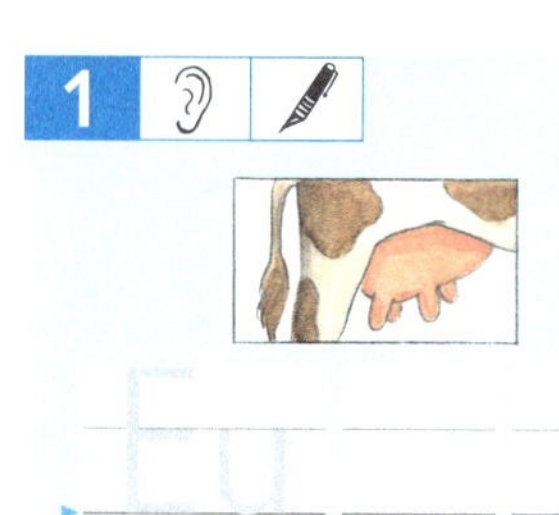   

   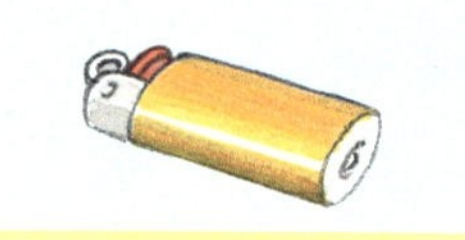

2

Nicht gestern, sondern ______ .

Ich kenne viele ______ .

Nicht billig, sondern ______ .

Nicht alt, sondern ______ .

Im Ofen brennt ein ______ .

Ein Esel frisst ______ .

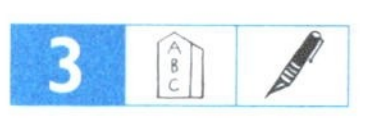

3

Die kleine Ente und die Eule

Die kleine Ente suchte eine Freundin.

Da sah sie im Baum die Eule.

Die Ente rief: „Hallo, Eule, komm

und schwimme mit mir im See!“

Die Eule aber sagte: …

Zu den Fibelseiten 60/61:

- Anlaut/Inlaut heraushören und in den Platzhalter einsetzen
- Reime schriftlich ergänzen
- Freies Schreiben in die Sprechblase

1

2

Wir zaubern

der Hahn — der Z

der Berg — der Zw

die Wiege — die Z

die Welt — das Z

der Geiger — der Z

der Teig — der Zw

3

Eigene Zauberverse

Hokus pokus hoher Berg –

Hokus pokus Kuchenteig –

Zu den Fibelseiten 62/63:

- Anlaut/Inlaut/Endlaut heraushören und Z/z in den Platzhalter eintragen
- Reimwörter schreiben
- Zauberverse schreiben

ja	ju	jo
beln	deln	gen

jam	jau	jap
sen	mern	len

3

Lies in der Fibel auf Seite 63 nach. Antworte ja oder nein.

Schreibt Lina an Nele?

Ist Neles Papa Judoka?

Kommt Judo aus Japan?

Hat er schon den schwarzen Gürtel?

Möchtest du auch gern Judo lernen?

Zu den Fibelseiten 62/63:
- Anlaut/Inlaut heraushören und J/j in den Platzhalter eintragen
- Silben zu Verben verbinden und Verben schreiben
- vgl. FS 63; Fragen beantworten

tz

1

2

sitzen	putzen	schwatzen
ich sitze	ich ________	ich ________
er sitzt	er ________	er ________
wir sitzen	wir ________	wir ________

3

Die vergessliche Zahnfee

Es ist Mitternacht.

Plötzlich wacht Nina auf.

Sie hört ein Kratzen …

Zu den Fibelseiten 64/65:

- Wörter passend zum Bild in die Platzhalter schreiben
- Verben mit „tz" beugen und schreiben
- eine Geschichte schreiben

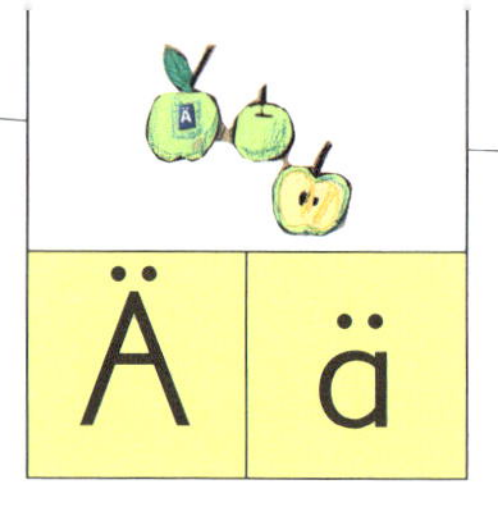

Ä ä

1

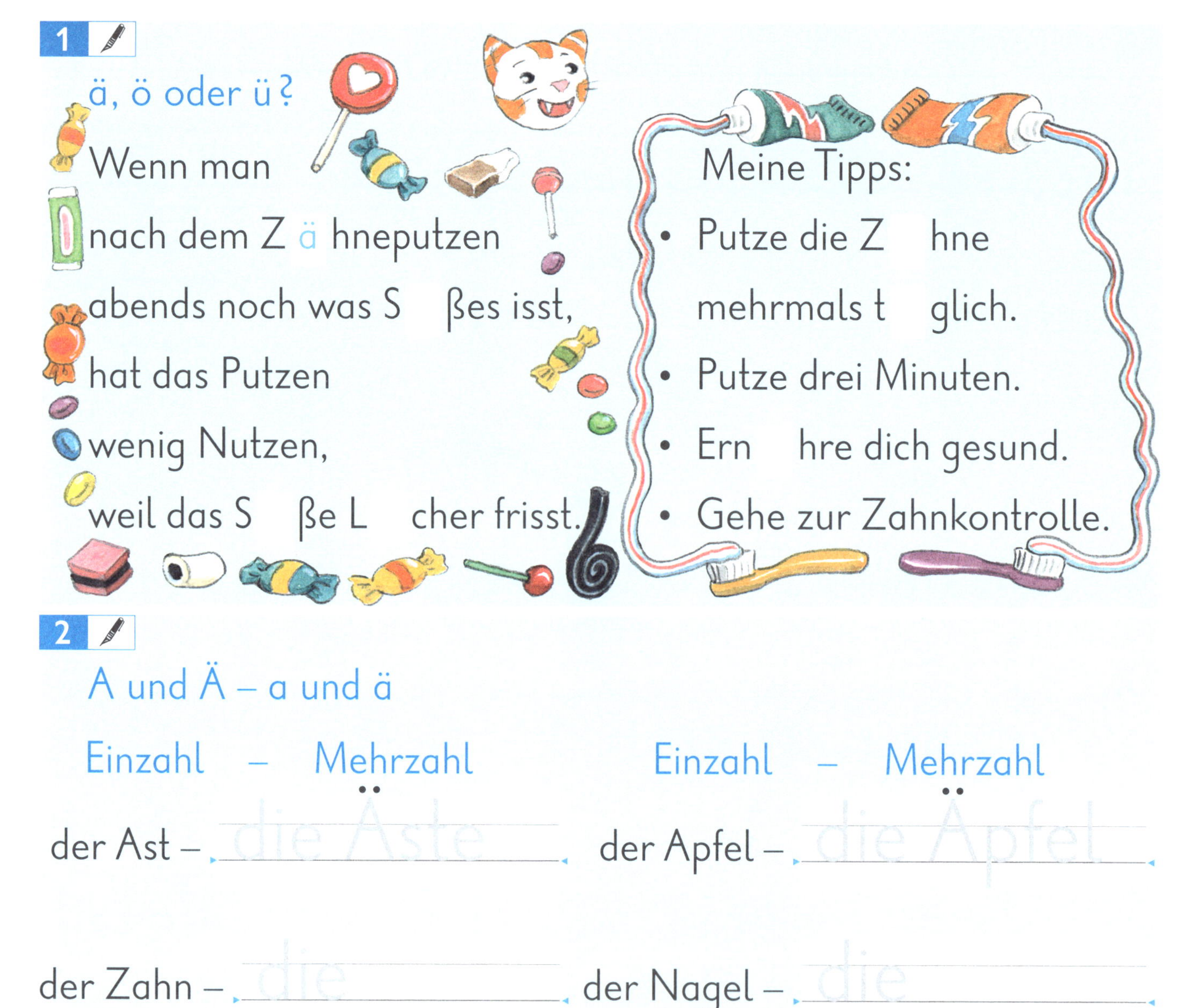

ä, ö oder ü?

Wenn man
nach dem Z ä hneputzen
abends noch was S ßes isst,
hat das Putzen
wenig Nutzen,
weil das S ße L cher frisst.

Meine Tipps:
- Putze die Z hne mehrmals t glich.
- Putze drei Minuten.
- Ern hre dich gesund.
- Gehe zur Zahnkontrolle.

2

A und Ä – a und ä

Einzahl – Mehrzahl	Einzahl – Mehrzahl
der Ast – die Äste	der Apfel – die Äpfel
der Zahn – die	der Nagel – die

3

Erfinde auch eine Überschrift.

Es war einmal ein Mädchen,
das hatte drei goldene Gänse.
Eines Tages kam ein Bär …

Zu den Fibelseiten 64/65:
- ä, ö, ü in Wortlücken einsetzen, Verse lesen
- Mehrzahl bilden, Substantive schreiben
- ein Märchen schreiben

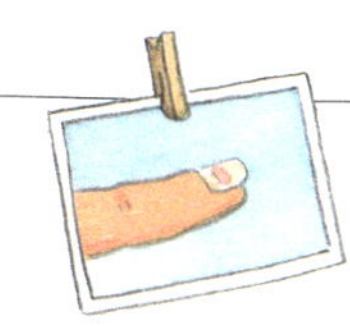

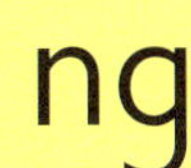

ng

1

Was reimt sich?

die Schlange – der Junge – die Leitung – die Zeitung

die Zange – die Zunge

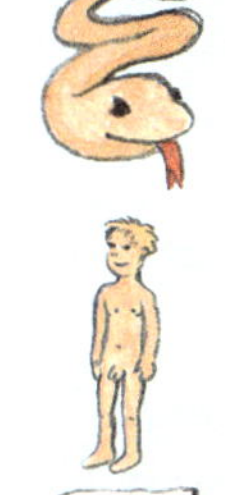

die Schlange – die Z

2

singen bringen fangen

ich singe ich ich

er singt er er

3

Löse die Rätsel.

Es ist rund und passt auf den Finger.

Es ist der R.

Damit holt man Fische aus dem Wasser.

Es ist eine .

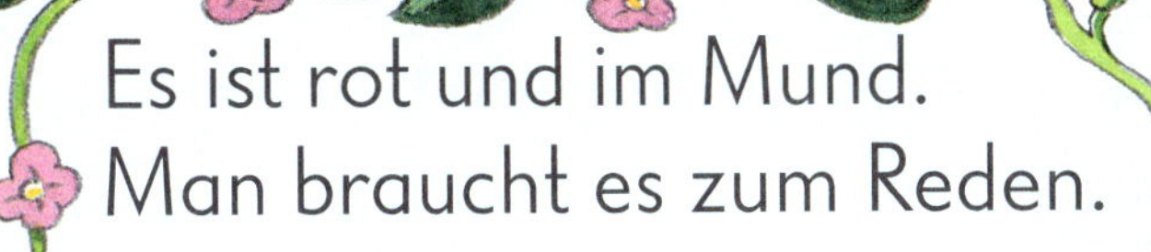

Es ist rot und im Mund. Man braucht es zum Reden.

Es ist die .

Es findet sich im Wort Bengel. Ist aber das Gegenteil.

Es ist ein .

Zu den Fibelseiten 64/65:
- Reimwörter schreiben
- Verben beugen, schreiben
- Rätsel lösen, Lösung schreiben

ck

1

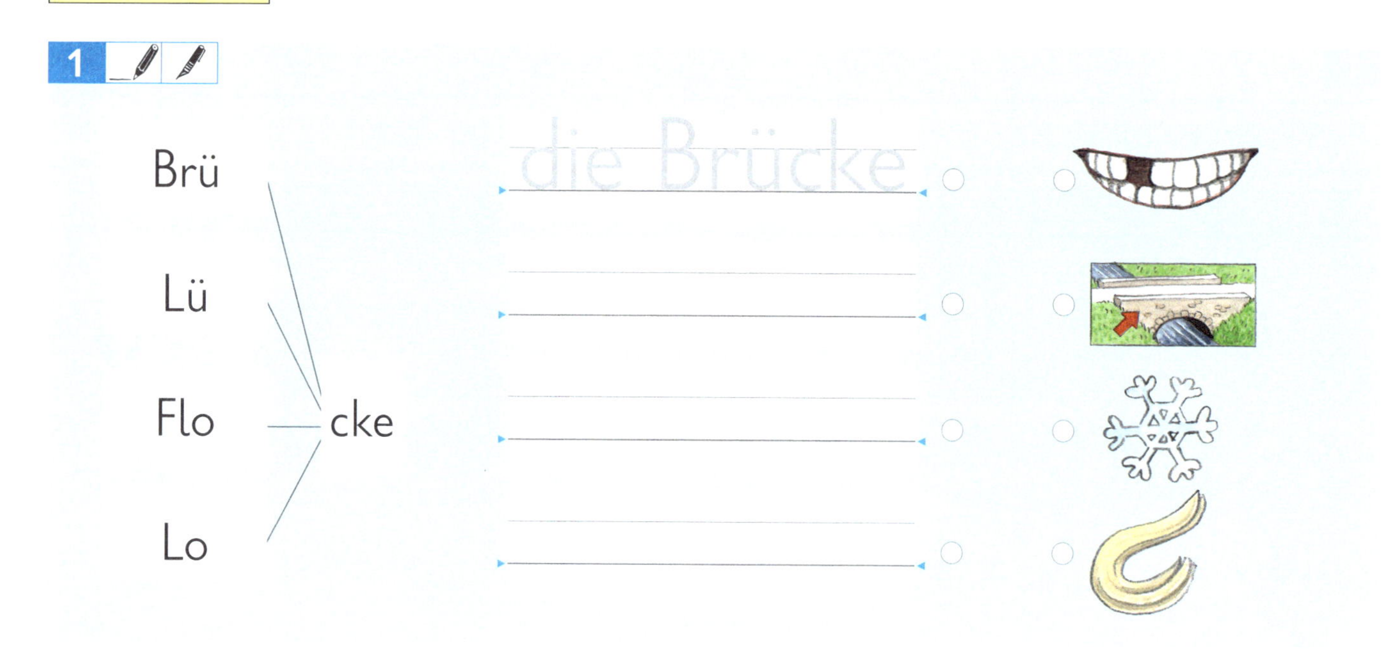

2

ng oder ck? Suche dir zwei Wörter aus und male dazu.

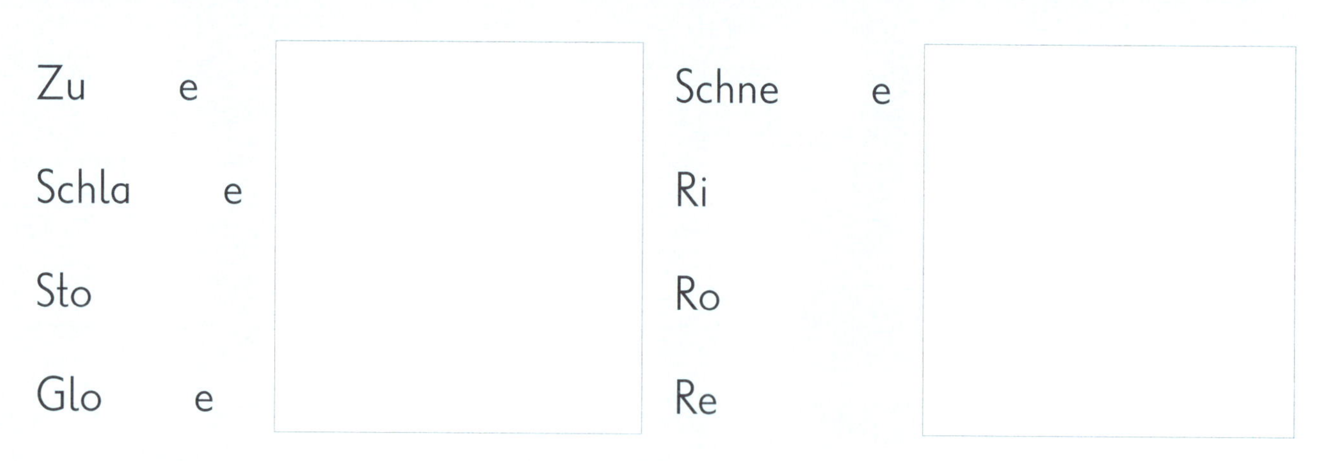

3

Überlege dir auch eine Überschrift.

Mia kriecht müde unter ihre Decke.

So ein gutes Versteck!

Mia will Mama erschrecken …

 Zu den Fibelseiten 64/65:

- Silben zu Substantiven verbinden, Wort-Bild verbinden
- ng/ck in Wortlücken einsetzen, zwei Bilder malen
- eine Geschichte schreiben

1

Was steckt im Wort?

In Schnecke ist die Ecke.

In Glocke ist eine ____________ .

In Dreck ist das ____________ .

In Brücken ist der ____________ .

2

Schreibe einen Steckbrief.

der Ringoling – die Singuschneck – die Glückomück

Züchterin: ____________

Nahrung: ____________

besondere Merkmale: ____________

Lieblingsbeschäftigung: ____________

Bild:

Zu den Fibelseiten 64/65:
- Wort im Wort entdecken und schreiben
- Steckbrief zu Fantasietier schreiben, Fantasietier malen

Äu äu

1

au und äu

	Einzahl		Mehrzahl
	die Braut	–	die Br äu te
	der Baum	–	die B me
	die Maus	–	die M se
	die Laus	–	die L se
	der Zaun	–	die Z ne

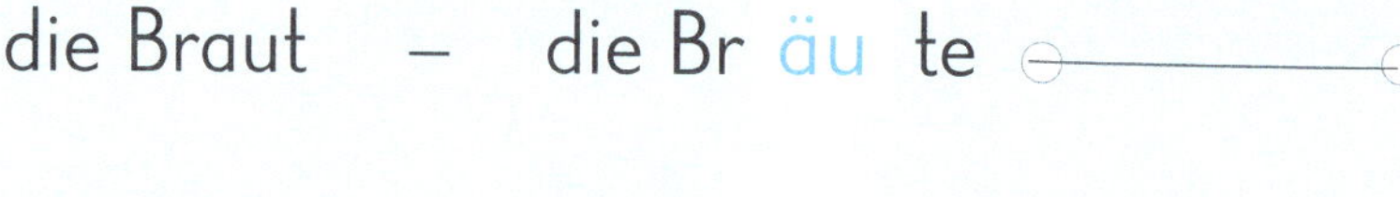

2

der Traum – träumen

der Raum –

der Schaum –

3

<u>Die drei Schweinchen träumen</u>

Zwei Häuschen sind kaputt.

Der Wolf entschuldigt sich.

Alle räumen auf.

Dann läuft der Wolf traurig davon.

Ein Schweinchen ruft:

 Zu den Fibelseiten 66/67:

- Mehrzahl von Substantiven mit „äu" bilden, „äu" in Wortlücken eintragen, Wort-Bild verbinden
- passende Verben zu Substantiven schreiben
- Freies Schreiben zu einem Geschichtenanfang

St st

1

St all — ier — iefel — ecker — ein

uhl — ern — irn — empel

2

stapeln — streiten

stehen — steigen

strecken — stolpern

3

Nummeriere die Arbeitsschritte. Schreibe sie sortiert ab.

1 2 3 4

☐ Jetzt klebt er einen Stab an.

1 Tilo malt die Figur mit Stiften an.

☐ Nun schneidet er sie aus.

☐ Fertig, es kann beginnen.

Tilo

Zu den Fibelseiten 66/67:
- „St" in Wortlücken eintragen, Wörter lesen
- Wort-Bild verbinden
- vgl. FS 67, Arbeitsschritte nummerieren und sortiert abschreiben

1

Verbinde.

Fußgänger | Straße | Radweg | Zebrastreifen | Ampel

2

Morgen dürfen Ina und Nina allein zur Schule gehen.

Ina und Nina sollen den sicheren Weg nehmen.

Da ist ein Zebrastreifen.

Erst wollten sie Roller fahren.

3

Wie ist dein Schulweg?

Über wie viele Straßen musst du gehen?

Mit wem gehst du zur Schule?

Zu den Fibelseiten 68/69:
- Wörter passend mit dem Bild verbinden
- vgl. FS 69; Antworten ankreuzen
- Fragen zum Schulweg schriftlich beantworten

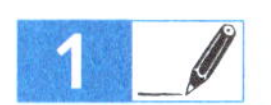

- Haltestelle für Busse und Straßenbahn
- Fußgängerübergang
- Stopp! Anhalten!
- gemeinsamer Fußweg und Radweg

Setze Rot und Grün richtig ein. Vergleiche mit Fibelseite 68.

Bei „____________“ bleibe stehn,

bei „____________“ kannst du gehn!

Bei „____________“ musst du warten,

bei „____________“ kannst du starten.

Schreibe die Geschichte in dein Heft.

Auf dem Schulweg

Oh je! Romi hat ihr Geld verloren

und gleich fängt die Schule an.

Hannes sagt: „Ich helfe dir.“

Aber Mimi und Mo …

Zu den Fibelseiten 68/69:
- Verkehrsschilder und ihre Aussagen verbinden
- vgl. FS 68; Lücken eines Verses schriftlich füllen
- eine Geschichte zu Bildern und einem Geschichtsanfang schreiben

Sp sp

1

 Sp echt  iegel  iel  agat

 ritze  arschwein  argel  ange

2

Kreuze an.

Was isst du gerne?	Was machst du gerne?
☐ Spinat mit Ei	☐ Fußballspielen
☐ Götterspeise	☐ Seilspringen
☐ Spagetti mit Soße	☐ mit Freunden sprechen
☐ Spagetti – Eis	☐ Geschirr spülen
☐ Spargel mit Soße	☐ spannende Geschichten lesen

3

Was spielen die Kinder? Schreibe es so in dein Heft:

Mia spielt mit … .

Zu den Fibelseiten 70/71:

- „Sp" in Wortlücken eintragen, Wörter lesen
- Fragen beantworten, Antworten ankreuzen
- Sätze zum Bild schreiben

nk

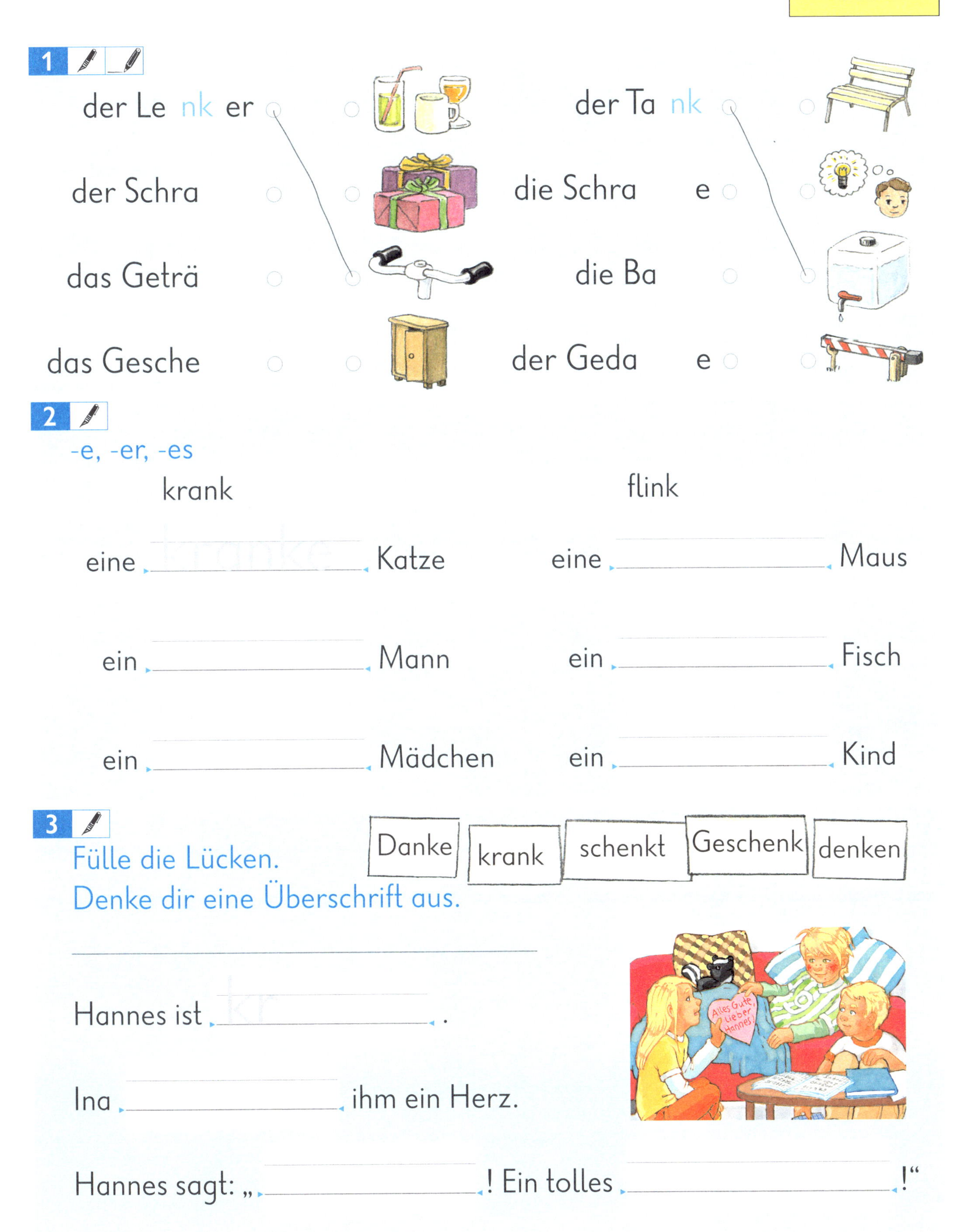

1

der Le nk er

der Schra

das Geträ

das Gesche

der Ta nk

die Schra e

die Ba

der Geda e

2

-e, -er, -es

krank

eine kranke Katze

ein Mann

ein Mädchen

flink

eine Maus

ein Fisch

ein Kind

3

Fülle die Lücken.
Denke dir eine Überschrift aus.

Danke | krank | schenkt | Geschenk | denken

Hannes ist kr .

Ina ihm ein Herz.

Hannes sagt: „ ! Ein tolles !"

Zu den Fibelseiten 72/73:

- „nk" in Wortlücken eintragen, Wörter lesen und mit Bildern verbinden
- Adjektive beugen und schreiben
- Lückentext bearbeiten

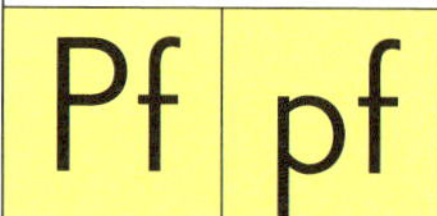

Pf pf

1

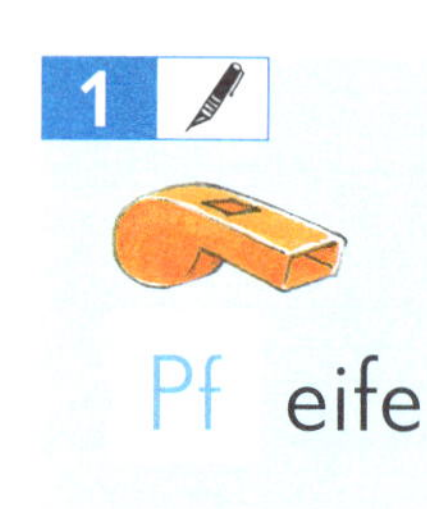

Pf eife   erd   au   ote   laume

 Zi   el  Ko    A   el  Zo    To

Bringe die Sätze in die richtige Reihenfolge.
Nummeriere sie.

☐ Ich habe die Pflänzchen viel gegossen.

☐ Neulich haben wir Kresse gesät.

☐ Abends gab es Kressebrote mit Pfeffer und Salz.

☐ Wir brauchten dafür einen flachen Blumentopf.

1 2 3

links   rechts

Links von Romi steht
ein Kressekopf.
Links steht auch
eine Kanne mit Pfeil.
Rechts von Romi sind
der Pfeffer und ein Pfirsich.

Zu den Fibelseiten 72/73:
- Pf/pf in Wortlücken eintragen, Wörter lesen
- Sätze nummerieren
- Text lesen, zum Text malen, links/rechts dabei beachten

Qu qu

1

Qu alle   irl   A arium   Kaul appe   ark

atsch   adrat   elle   erkopf

2

So ein Quatsch! Würfle und lies lustige Sätze.

⚀ Die Frösche	⚀ quaken im Teich.
⚁ Die Kinder	⚁ quasseln in der Schule.
⚂ Die Schweine	⚂ quieken im Stall.
⚃ Die Türen	⚃ quietschen im Haus.
⚄ Die Mütter	⚄ quatschen auf dem Hof.
⚅ Die Schornsteine	⚅ qualmen auf dem Dach.

3

Schreibe drei lustige Quatschsätze hier auf.

Zu den Fibelseiten 74/75:

- Qu/qu in Wortlücken eintragen, Wörter lesen
- lustige Sätze erwürfeln, lesen
- drei lustige Sätze aufschreiben

1

Verbinde.

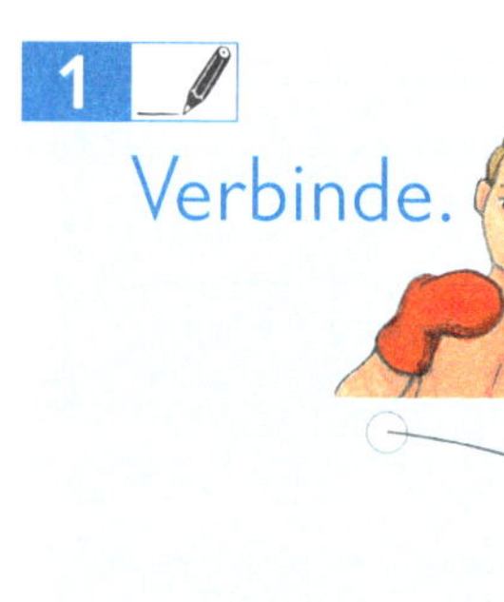

der Mixer   die Nixe   der Boxer   die Hexe

2

Richtig oder falsch?

	richtig	falsch
Max und Felix sind Meerschweinchen.	☐	☐
Max jagt Felix vom Brot weg.	☐	☐
Felix wird immer magerer.	☐	☐
Max ist eine Maxi.	☐	☐

3

Kreuze die richtigen Antworten an. Lies in einem Kinderlexikon nach.

Das Xylofon

1) Das Xylofon gehört zu den
☐ Streichinstrumenten.
☐ Schlaginstrumenten.

2) Der Name kommt aus dem
☐ Japanischen.
☐ Griechischen.

3) Man braucht
☐ Holzschlägel.
☐ Metallschlägel.

Zu den Fibelseiten 74/75:
- Wort-Bild verbinden
- vgl. FS 75; Antworten ankreuzen
- im Kinderlexikon lesen, richtige Antworten ankreuzen

1 Verbinde.

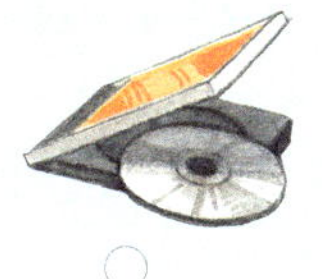

die Creme   die Cola   der Computer   der Comic   der Cent   die CD

2 Namen mit C/c. Sortiere.

Clemens – Niclas – Christiane – Clara – Luca – Cora

Mädchennamen	Jungennamen

Kennst du noch mehr Namen? Schreibe sie dazu.

3 Löse die Rätsel.

Wer hat rotes Fell? ______________________

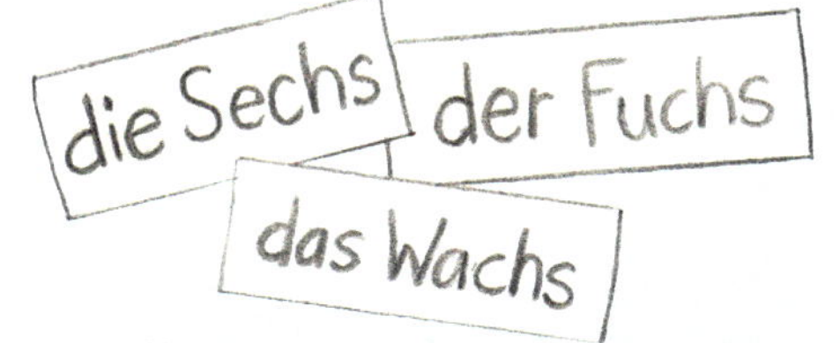

Eine Kerze besteht daraus. ______________________

Drehst du es um, ist es eine Neun. ______________________

Zu den Fibelseiten 76/77:
- Wort-Bild verbinden
- Namen mit C/c nach Mädchen-/Jungennamen sortieren, schreiben
- Rätsel lösen, Antworten schreiben

1 Verbinde.

das Handy der Zylinder der Teddy die Pyramide das Baby die Yacht

2 Löse das Kreuzworträtsel.

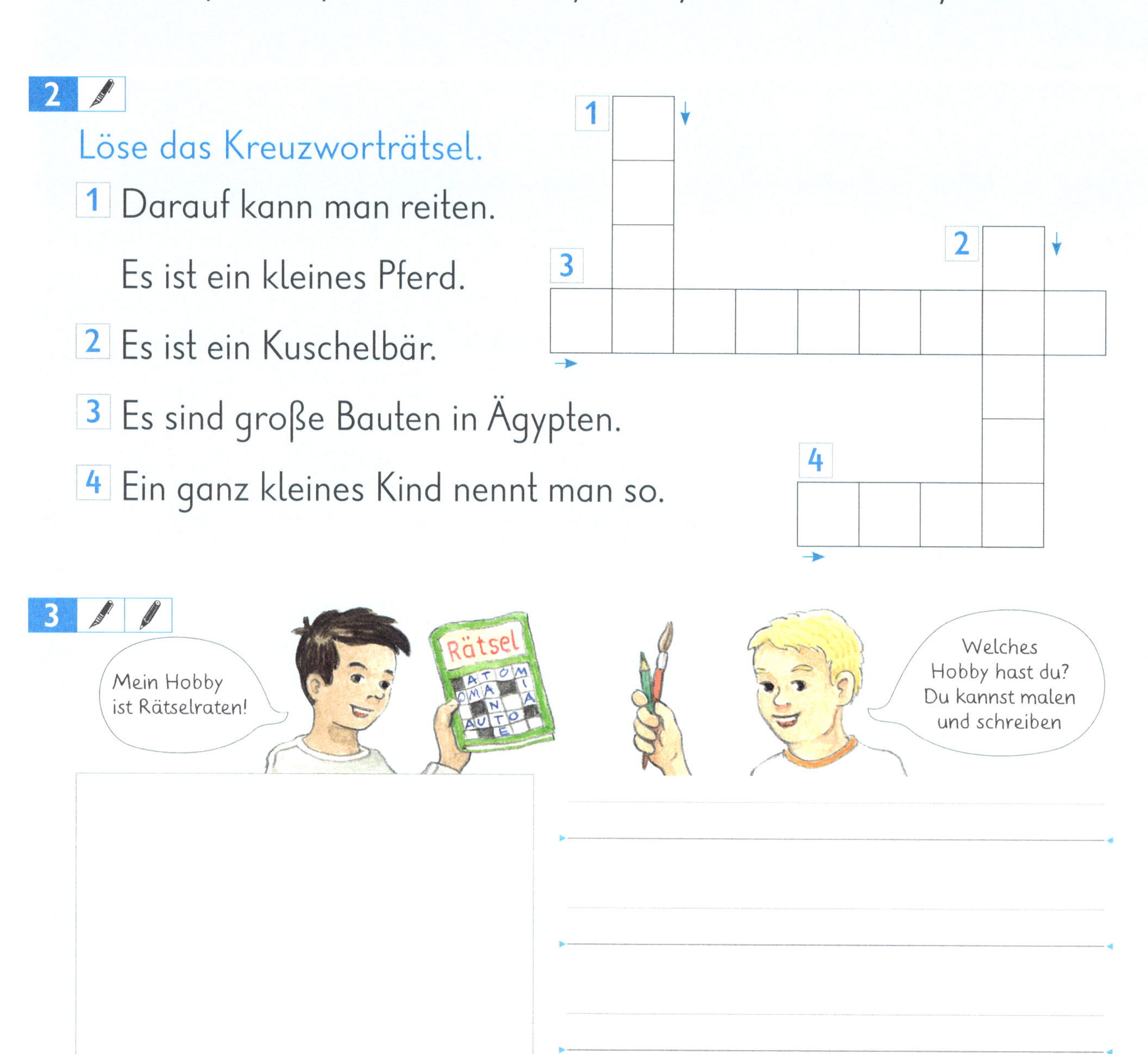

1 Darauf kann man reiten.
Es ist ein kleines Pferd.

2 Es ist ein Kuschelbär.

3 Es sind große Bauten in Ägypten.

4 Ein ganz kleines Kind nennt man so.

3

Zu den Fibelseiten 78/79:
- Wort-Bild verbinden
- Kreuzworträtsel schriftlich lösen
- zum eigenen Hobby schreiben und malen

1

Schreibe die richtigen Buchstaben in die Lücken.

Pf – Sp – C – pf – nk – Pf

das ______ iel

der A ______ er

die ______ reme

der ______ eil

der A ______ el

das ______ erd

2

spielen	denken	pfeifen
ich spiele	ich ______	ich ______
er spielt	er ______	er ______
wir spielen	wir ______	wir ______

3

Würfle lustige Sätze und schreibe sie in dein Heft.

⚀ Mama isst	⚀ eine frische Pflaume.
⚁ Die Lehrerin verschenkt	⚁ einen roten Radiergummi.
⚂ Uli sammelt	⚂ tolle Sportsticker.
⚃ Ich finde	⚃ viele weiche Quallen.
⚄ Amon malt	⚄ eine schrumplige Hexe.
⚅ Lina trinkt	⚅ eine kühle Cola.

Zu den Fibelseiten 80/81:
- Buchstaben in Wortlücken schreiben, Wörter lesen
- Verben beugen, schreiben
- lustige Sätze würfeln, in das Heft schreiben

Schreibe deinen eigenen Comic.

2

Gib einen Buchtipp.

Welches Buch magst du besonders? Schreibe den Titel auf.

Wer hat dieses Buch geschrieben?

Was gefällt dir an dem Buch?

 Zu den Fibelseiten 80/81:

- einen Comic schreiben
- Fragen zum Lieblingsbuch schriftlich beantworten